Thérèse Bertherat

Le corps a ses raisons

auto-guérison et anti-gymnastique

avec la collaboration de Carol Bernstein

Éditions du Seuil

EN COUVERTURE :
Photo Laurence Henderycksen

ISBN 2-02-019960-2
(ISBN 2-02-004439-0, 1re publication)

Dédicaces

Pour Mme A., avocate célèbre, qui craint de perdre son autorité en abandonnant la rigidité de la nuque, l'expression agressive du visage et qui confond son image d'elle-même avec son image de marque.

Pour l'amiral B. qui, se sentant diminué à l'âge de la retraite, a appris à souffler, à tenir haute la tête (plutôt que la mâchoire) et a grandi de 3 centimètres.

Pour Mme C. qui s'est fait refaire le nez, les paupières, les seins, mais qui verse des larmes authentiques quand elle se rend compte qu'elle ne peut pas se faire refaire la vie.

Pour D. qui amène son corps à soigner comme il amène sa voiture chez le garagiste : « Faites le nécessaire. Je ne veux rien savoir. » Mais je n'ai rien à lui apprendre qu'au fond de lui-même il ne sache déjà.

Pour Mlle E., vierge et martyre, qui depuis quarante ans se dit désireuse de se débarrasser de son ventre, gros comme celui d'une femme enceinte de huit mois. Toujours souriante et aimable, elle refuse cependant de faire les mouvements qui la délivreraient.

Pour Mme F. qui hait son corps, dit adorer ceux qui ne lui ressemblent pas, mais ne cherche qu'à les humilier.

Pour G. qui, adolescente, fermait si bien les yeux sur elle-même qu'elle arriva pendant des années à dormir 16 heures sur 24. Les épaules courbées, la tête rejetée en arrière, elle avançait dans la vie comme une somnambule jusqu'au jour où elle rencontra dans un miroir une femme vieillissante, les yeux grands ouverts d'incrédulité.

Pour le comte de H. qui considère que sa santé est « une affaire d'État », car il refuse d'admettre qu'il souffre d'une maladie si les soins n'en sont pas pris en charge par la Sécurité sociale.

Introduction

Votre corps, cette maison que vous n'habitez pas

En ce moment, à l'endroit même où vous vous trouvez, il y a une maison qui porte votre nom. Vous en êtes l'unique propriétaire, mais, il y a très longtemps, vous en avez perdu les clefs. Ainsi, vous restez dehors, ne connaissant que la façade. Vous ne l'habitez pas. Cette maison, abri de vos souvenirs les plus enfouis, refoulés, c'est votre corps.

« Si les murs pouvaient entendre... » Dans la maison de votre corps, ils peuvent. Ces murs qui ont tout entendu et jamais rien oublié, ce sont vos muscles. Dans les raideurs, les crispations, dans les faiblesses et dans les douleurs des muscles de votre dos, de votre cou, de vos jambes, de vos bras, de votre diaphragme, de votre cœur, et aussi de votre visage et de votre sexe se révèle toute votre histoire, de la naissance jusqu'aujourd'hui.

Sans même vous en rendre compte, depuis les premiers mois de votre vie vous avez réagi à des pressions familiales, sociales, morales. « Tiens-toi comme ceci, comme cela. Ne touche pas. Ne te touche pas. Sois sage. Défends-toi donc. Va vite. Où vas-tu si vite... ? » Confus, vous vous êtes plié comme vous avez pu. Pour vous conformer, vous vous êtes déformé. A votre vrai corps, naturellement harmonieux, dynamique, joyeux, s'est substitué un corps étranger que vous acceptez mal, qu'au fond de vous-mêmes, vous rejetez.

C'est la vie, dites-vous, on n'y peut rien. Je vous réponds que si, que vous pouvez faire quelque chose, et que vous seul pouvez faire quelque chose. Il n'est pas trop tard. Il n'est jamais trop tard pour vous libérer de la programmation de votre passé, pour prendre en charge vous-même votre corps, pour découvrir des possibilités encore insoupçonnées.

Être, c'est ne jamais cesser de naître. Mais combien d'entre nous se laissent mourir un peu chaque jour, s'intégrant si bien aux structures de la vie contemporaine qu'ils perdent leur vie en se perdant de vue ?

Notre santé, notre bien-être, notre sécurité, nos plaisirs, nous en laissons la charge aux médecins, aux psychiatres, aux architectes, aux politiciens, aux patrons, à nos époux, à nos amants, à nos enfants. Nous confions la responsabilité de nos vies, de nos corps, aux autres, parfois à ceux qui ne réclament pas cette responsabilité et s'en trouvent accablés, et souvent à ceux qui font partie des Institutions dont le premier but est de nous rassurer donc de nous réprimer. (Et combien de personnes de tous âges dont le corps appartient encore à leurs parents ? Enfants soumis, ils attendent en vain toute la durée de leur vie la permission de la vivre. Psychologiquement mineurs, ils s'interdisent même le spectacle de la vie des autres, ce qui ne les empêche pas d'en devenir les censeurs les plus stricts.)

En renonçant à notre autonomie, nous abdiquons notre souveraineté individuelle. Nous appartenons aux pouvoirs, aux êtres qui nous ont récupérés. Si nous revendiquons tant la liberté, c'est que nous nous sentons esclaves ; et les plus lucides d'entre nous se reconnaissent comme des esclaves-complices. Mais comment en serait-il autrement puisque nous ne sommes même pas maîtres de notre première maison, de la maison de notre corps ?

Pourtant, il vous est possible de retrouver les clefs de votre corps, d'en prendre possession, l'habiter enfin et y trouver la vitalité, la santé, l'autonomie qui vous sont propres.

Mais comment ? Certainement pas en considérant votre corps comme une machine forcément défectueuse et qui vous encombre, comme une machine en pièces détachées dont chacune (tête, dos, pieds, nerfs...) doit être confiée à un spécialiste dont vous acceptez aveuglément l'autorité et le verdict. Certainement pas en vous contentant de vous étiqueter une fois pour toutes « nerveux », « insomniaque », « constipé » ou « fragile ». Et certainement pas en essayant de vous fortifier par la gymnastique qui n'est que le dressage forcé du corps-viande, du corps considéré comme inintelligent, comme une bête à discipliner.

Notre corps est nous-mêmes. Nous sommes ce que nous semblons être. Notre manière de paraître est notre manière d'être. Mais nous ne voulons pas l'admettre. Nous n'osons pas nous regarder. Nous ne savons d'ailleurs pas le faire. Nous confondons le visible avec le superficiel. Nous ne nous intéressons qu'à ce que nous ne pouvons pas voir. Nous allons jusqu'à mépriser le corps et ceux qui s'intéressent à leur corps. Sans nous attarder sur notre forme – notre corps – nous nous empressons d'interpréter notre contenu, nos structures psychologiques, sociologiques, historiques. Toute la vie nous jonglons avec des mots pour qu'ils nous révèlent les raisons de notre comportement. Et si nous cherchions plutôt à travers nos sensations les raisons de notre corps ?

Notre corps est nous-mêmes. Il est notre seule réalité saisissable. Il ne s'oppose pas à notre intelligence, à nos sentiments, à notre âme. Il les inclut et les abrite. Ainsi, prendre conscience de son corps, c'est se donner accès à son être tout entier... car corps et esprit, psychique et physique, et même force et faiblesse, représentent non pas la dualité de l'être, mais son unité.

Dans ce livre, je vous ferai part des interrogations et des méthodes naturelles de ceux qui considèrent que le corps est une unité indissoluble. Je vous proposerai aussi des mouvements qui n'abêtissent pas mais, au contraire, développent l'intelligence musculaire et exigent, *a priori*, la perspicacité de ceux qui les pratiquent.

Ces mouvements ont leur origine à l'intérieur de votre corps ; ils ne sont pas imposés de l'extérieur. Ils n'ont rien de mystique ou de mystérieux. Leur but n'est pas de vous faire échapper de votre corps, mais d'éviter que votre corps continue à vous échapper, et votre vie avec.

Jusqu'à maintenant ces mouvements n'étaient définis que par ce qu'ils ne sont pas : des exercices, de la gymnastique. Mais quel mot peut faire comprendre que le corps d'un être et sa vie sont la même chose et qu'il ne peut pas vivre pleinement sa vie si, préalablement, il n'a pas pu éveiller les zones mortes de son corps ?

Avant de faire ce livre, la recherche d'un mot ne me préoccupait pas. La pratique des mouvements et leurs résultats étaient une définition suffisante. A la rigueur, si l'on me demandait ce que j'enseignais, je disais « de l'anti-gymnastique »... en ajoutant toujours que cela ne pouvait être compris que par le corps, qu'à travers le vécu.

Mais un livre n'est fait que de mots. Alors j'ai essayé d'en inventer un pour pouvoir résumer l'essentiel de ces mouvements connus jusqu'alors seulement par ceux qui les pratiquaient. Une multitude de racines grecques et latines furent combinées dans tous les sens. Tous les résultats étaient partiellement appropriés ; aucun n'était très satisfaisant. Et puis un jour un mot qui existait déjà et dans une forme ancienne avait déjà servi de nom commun, un mot tout simple dont je me servais souvent, sonnait juste. Préalable. Les Préalables. J'appelle donc les mouvements qui préparent le corps – l'être tout entier – à pouvoir vivre pleinement, des Préalables.

Tout le long de ce livre et réunis à la fin, vous trouverez la description de certains Préalables à travers lesquels vous comprendrez que vous pouvez vous arrêter de vous user inutilement, de vieillir prématurément, en utilisant non pas dix ou cent fois trop d'énergie comme vous le faites maintenant, mais seulement l'énergie appropriée à chaque geste.

Vous pouvez vous permettre de laisser tomber vos masques, vos déguisements, vos poses, de ne plus faire « comme si » mais d'être, et d'avoir le courage de votre authenticité.

Vous pouvez vous soulager d'une multitude de maux – insomnies, constipation, troubles digestifs – en faisant travailler pour vous et non pas contre vous des muscles qu'aujourd'hui vous ne pouvez même pas situer.

Vous pouvez éveiller vos cinq sens, aiguiser vos

perceptions, avoir et savoir projeter une image de vous-même qui vous satisfait et que vous pouvez respecter.

Vous pouvez affirmer votre individualité, retrouver votre initiative, votre confiance en vous.

Vous pouvez augmenter vos capacités intellectuelles en améliorant d'abord les commandes nerveuses entre votre cerveau et vos muscles.

Vous pouvez désapprendre les mauvaises habitudes qui vous font favoriser donc surdévelopper et déformer certains muscles, rompre les automatismes de votre corps et en trouver l'efficacité, la spontanéité.

Vous pouvez devenir un polyathlète qui, à chaque moment, quel que soit le mouvement qu'il fait, compte sur l'équilibre, la force et la grâce de son corps.

Vous pouvez vous libérer des problèmes de frigidité ou d'impuissance et, une fois que vous vous serez affranchi des interdits de votre propre corps, connaître la rare satisfaction de l'habiter à deux.

Quel que soit votre âge, vous pouvez vous débarrasser des contraintes qui ont piégé votre vie intérieure et votre comportement corporel et vous révéler l'être beau, bien fait, authentique que vous devez être.

Si je vous parle avec tant de conviction et d'enthousiasme, c'est que je vois ces paris gagnés tous les jours. Dans ce livre je ne vous raconterai que des histoires vécues, par moi-même, par des élèves et par d'autres qui ont commencé à assumer leur vie à partir du moment où ils ont commencé à habiter leur corps.

Je remercie ma collaboratrice qui, n'ayant ni formation ni déformation professionnelle, mais beaucoup d'intuition et un esprit de synthèse assez personnel, m'a aidée à mieux comprendre que les questions posées par mon travail étaient inséparables de celles posées par la vie même.

T. B.

1
La maison dans l'impasse

Jusqu'à ce jour-là, j'avais vécu en vagabonde. Il n'y avait pas eu de maison familiale, pas de lieu fixe. J'avais épousé une autre âme errante, étudiant en médecine. Ensemble, nous avions fait la tournée classique des chambres de bonne, des chambres d'interne dans les hôpitaux divers et maintenant nous avions droit à un appartement de fonction en banlieue où il était impossible de peindre un mur sans l'autorisation de l'Administration. A la rentrée nous allions déménager, venir à Paris et nous y installer enfin.

Habiter une maison qui serait à moi... plus que le désir j'en éprouvais le besoin urgent. Et je savais que pour que j'y sois bien il faudrait que je la trouve moi-même.

Ainsi je partis pour Paris avec une liste de rues où il y avait encore peut-être des maisons particulières. Un ami m'avait donné le nom d'une femme – il croyait qu'elle donnait des cours de gymnastique ou quelque chose dans ce genre – qui, depuis longtemps, habitait une impasse du 14e arrondissement où se trouvaient des petites maisons et des ateliers d'artiste.

Toute la journée, je rencontrai des gens qui semblaient se vanter d'avoir trouvé la dernière maison disponible dans Paris. Les pieds endoloris, les mollets, le cou, la mâchoire noués, le moral chancelant, je fis ce que j'avais pris l'habitude de faire quand j'étais mécontente du monde et de moi-même. J'achetai ma revue féminine préférée et, installée dans un bistrot confortable, je me perdis dans des images de mannequins insouciants.

Il y avait aussi plusieurs pages d'exercices destinés à me donner, au choix, des seins plus gros, des seins plus petits, les jambes de Dietrich, les fesses de Bardot. Ces pages-là je les feuilletai très rapidement. La seule idée de gymnastique me fatiguait d'avance et me rappelait automatiquement les salles bruyantes et malodorantes du lycée. Je regardai avec plus d'intérêt un reportage sur le maquillage préconisé pour cette semaine-là.

En sortant du bistrot, je m'achetai le fard dont je venais de lire les bienfaits. Je l'appliquai aussitôt ainsi qu'un fond de teint qui me bronza instantanément. Cachée derrière mon nouveau visage, je décidai de m'adresser à Suze L.

Il y avait un tilleul, il y avait même un pêcher ! Au fond de cette impasse aux jardinets débordants, je vis une maison aux volets fermés. Serait-elle inhabitée ?

Douce, basse, la voix semblait venir de loin. En me retournant, je me suis trouvée face à face avec une femme belle depuis longtemps. Dans son regard, dans l'expression de son visage, là où il aurait pu y avoir de la coquetterie, il y avait de la générosité.

« Elle a l'air triste aujourd'hui, mais quand elle est ouverte elle est belle.

– Qui ça ?

– Mais la maison que vous regardez.

– Elle est habitée ?

– Oui. »

Pour cacher ma déception, je ne trouvai pas mieux que de changer le sujet.

« Vous connaissez Suze L. ? »

La femme eut un petit sourire.

« Très bien. Du moins, je crois.

– Elle fait de la gymnastique, n'est-ce pas, dis-je sans pouvoir maîtriser une petite grimace.

– Effectivement, elle fait une sorte de gymnastique, mais sans grimace. » Un bruit de talons sur les pavés : elle se retourna et fit un signe de la main à deux jeunes femmes qui se dirigeaient vers une des maisons.

« Un cours commence dans dix minutes. Vous voulez essayer ? »

Je ne trouvai à dire que : « Mais je n'ai pas de tenue.

– Je vous prêterai un collant », dit-elle et elle se retourna aussitôt.

Alors je la suivis vers une maison en briques ou plutôt de bric et de broc cachée derrière des arbres et des arbustes.

Une grande pièce carrée tapissée de livres, de peintures et de photos. Par terre, quelques corbeilles en osier remplies de balles de tennis et de balles de couleurs vives. Un tabouret haut en bois clair. Je me trouvais avec les deux jeunes femmes que j'avais vues dans l'impasse, un homme que je pris d'abord pour Bourvil, et une femme potelée et souriante d'au moins soixante-cinq ans. Tous en collants sans pieds, ils étaient assis par terre, l'air heureux d'être là.

Moi, dans un collant trop grand, avec un mal de tête fracassant et les orteils crispés et douloureux, je me demandais ce que je faisais là. Je voulais me reposer non pas faire de la gymnastique. Gymnastiquer. Un mot pour la bouche mais non pour le corps. Certainement pas pour le mien. Je me consolais en me disant que cette Suze L. n'était plus très jeune et que la moitié de ses élèves étaient plus âgés qu'elle. Alors peut-être qu'elle ne nous ferait pas faire trop de contorsions.

Elle entrait, elle aussi en collant et en blouse ample, couleur de sable.

« Ça va ? »

Les autres lui firent des signes de tête.

Elle prit une des corbeilles et distribua les balles. Elle m'en tendit une verte. « Puisque vous aimez les arbres », dit-elle avec un sourire. Puis elle s'assit sur son tabouret.

« Vous allez vous mettre debout, les pieds parallèles. Posez vos balles par terre. Maintenant roulez la balle sous votre pied droit. Imaginez qu'il y a de l'encre sur la balle et que vous voulez encrer tout votre pied, sous les orteils, sous toute la plante, et les bords. Encrez-le bien. Partout. Prenez votre temps. »

Elle parle lentement, doucement. Sa voix pénètre le silence de la pièce sans le rompre.

« Voilà. Maintenant vous laissez la balle et vous secouez le pied qui vous portait. Bien. Posez vos deux pieds côte à côte. Très bien. Dites-moi ce que vous éprouvez. »

« J'ai l'impression que mon pied droit s'enfonce un peu dans le sol, comme si je marchais sur du sable », dit la vieille dame.

« Je sens que les orteils de mon pied droit sont devenus plus larges. »

« J'ai l'impression que mon pied droit est mon vrai pied et que le gauche est en bois. »

Moi, je ne dis rien. Je regarde mes pieds comme si

je ne les avais jamais vus auparavant. Je trouve le pied droit plus beau que le gauche avec ses pauvres orteils recroquevillés.

« Maintenant penchez-vous sans plier vos jambes et laissez pendre vos bras devant. »

Je regarde mes bras. Ma main gauche est à 10 centimètres du sol. Ma main droite le touche !

« Vous pouvez vous mettre debout maintenant.

Tout le monde se redresse.

« Savez-vous pourquoi votre bras droit descend plus bas que votre bras gauche ?

– A cause de la balle, dit une des jeunes femmes.

– Oui. La balle vous a aidés à décontracter les muscles de votre pied. Et puisque le corps est un tout, tous les muscles le long de votre jambe et de votre dos se sont détendus aussi. Ils ne vous freinent plus. »

Puis elle nous demande de faire rouler la balle sous le pied gauche. Quand je me penche en avant, mes deux mains touchent le sol.

« Maintenant vous allez vous mettre à plat dos, vos bras le long de votre corps. Ça va ? Alors tâchez de vous rendre compte comment le sol porte votre corps. Quels sont les points d'appui de votre corps sur le sol ? »

J'étais en équilibre sur l'arrière du crâne, la pointe des omoplates et les fesses.

« Combien de vertèbres se posent sur le sol ? »

Aucune de mes vertèbres ne touchait le sol. Je ne voyais pas comment elles le pourraient.

« Fléchissez vos genoux. Vous serez plus confortablement installés. »

Mais qu'est-ce que c'est que cette gymnastique qui s'occupe de mon confort ? Je pensais que plus on faisait souffrir le corps, plus on lui faisait du bien.

« Ça va mieux ? Est-ce que votre taille repose par terre ? »

Derrière ma taille on pourrait faire rouler les voitures miniatures avec lesquelles joue mon fils.

« Alors appuyez bien la plante de vos pieds et tous vos orteils sur le sol et relevez un peu le bas de vos fesses. Pas trop, juste assez pour pouvoir y passer le poing. Baissez. Relevez et baissez plusieurs fois. Doucement. Trouvez un rythme qui vous convienne. Vous n'oubliez pas de souffler, n'est-ce pas ? »

Concentrée sur le mouvement de mon bassin, j'avais, effectivement, oublié.

« Bien. Posez le bas de votre dos sur le sol en essayant de diriger votre coccyx vers le plafond. Est-ce que votre taille touche le sol maintenant ? »

J'ai toujours mon tunnel. Suze L. fait rouler vers moi une balle en caoutchouc, grosse et molle comme un pamplemousse.

« Placez la balle en bas de votre colonne. »

Le geste furtif, je glisse la balle sous mes fesses.

« C'est tout. Vous restez comme ça et vous respirez. Mettez vos mains sur vos côtes pour mieux sentir comment elles bougent quand vous respirez. Il n'y a aucun rapport cependant entre votre taille et votre mâchoire, vous savez. Inutile de la serrer. Voilà, c'est mieux. Maintenant imaginez que vous enfoncez doucement votre doigt dans votre nombril. Il descend vers le sol et votre ventre avec. »

Sa voix me paraît lointaine, chuchotée. Je me sens seule avec mon nombril.

« Enlevez la balle. Posez le dos. Posez tout votre dos sur le sol. »

J'obéis. Je me sens calme, recueillie ; une chaleur agréable se répand dans tout mon corps.

« Et votre taille ? »

Lentement je glisse ma main. Les bouts de mes doigts entrent à peine dans le creux.

« Ça vient, dit Suze L., aussi satisfaite que moi. Maintenant je vais vous demander de faire quelque chose que peut-être vous n'avez pas fait depuis très longtemps. Restez couchés sur le dos. Pliez vos jambes. Étendez vos bras devant vous et attrapez vos orteils dans vos mains. »

Quand ma fille de dix-huit mois fait ce geste, je la trouve adorable. Mais moi, je me sens parfaitement ridicule.

« C'est rigolo », dit la vieille dame.

« Vous les avez bien en main vos orteils ? Alors vous allez essayer de déplier vos jambes. Mais ne vous forcez pas. »

Mes jambes se déplient un peu, très peu. Je roule d'un côté à l'autre. Je me sens bête et vulnérable.

« Ça ne marche pas, dit la doublure de Bourvil.

– Vous allez voir, dit Suze L. Asseyez-vous. Tâtez derrière votre genou droit. Qu'est-ce que vous y trouvez ?

– Un os de chaque côté, dit une des jeunes femmes.

– Ce ne sont pas des os. Ce sont les tendons de vos muscles et ça s'assouplit. Vous pouvez le faire vous-mêmes. Attrapez-les et jouez avec comme si vous étiez des musiciens de jazz et eux les cordes d'une contrebasse. Prenez votre temps. »

Je joue *Blue Moon* à un tempo lent sans y croire un instant.

« Ça va ? Alors remettez-vous à plat dos. Attrapez les orteils de votre pied droit. Essayez de déplier votre jambe un peu puis repliez-la. Puis recommencez. Faites cela plusieurs fois sans forcer. Attendez que votre corps vous donne la permission d'aller plus loin. »

Ma jambe se déplie un peu plus chaque fois. Mais je suis instable. Je roule d'un côté à l'autre.

« Si vous roulez comme ça c'est que vous ne soufflez pas. »

J'expulse de ma bouche une colonne d'air en faisant un bruit de vent à décorner les bœufs.

« Mais pas par la bouche ! La bouche a beaucoup d'usages agréables, mais aspirer et souffler ne sont pas du tout de son domaine. Il faut toujours respirer par le nez. »

Encore une théorie sur la respiration, me dis-je. Cependant je souffle par le nez. Et je me stabilise aussitôt !

« Très bien. Dépliez, repliez doucement. Vous faites des progrès ?

– Ça y est ! » crie une des jeunes femmes. Elle tient ses orteils et sa jambe est parfaitement droite.

« Bien. Et les autres ? »

Je déplie. Je replie. Je respire par le nez. Je commence à y trouver un certain plaisir que je ne m'explique pas. Et voilà. Voilà que ma jambe se déplie presque complètement.

« Très bien, dit Suze L. Vous comprenez ce qui s'est passé ? En assouplissant vos tendons, en lâchant l'arrière de votre jambe, votre dos aussi s'est détendu, allongé. Le corps est une œuvre complète ; on n'y accède pas par morceaux choisis. Maintenant nous allons travailler notre côté gauche. »

Nous le fîmes avec les mêmes résultats et puis nous nous sommes mis debout. Mais debout comme je n'avais jamais été auparavant : les talons enfoncés dans le sol, tout le pied, la plante, les orteils posés par terre. Je me sens stable, courageuse.

Par la suite Suze L. nous a fait faire plusieurs autres mouvements sans balles ou accessoires. Mon corps, confiant, suivait la voix qui le guidait. Je savais que c'était la voix de Suze L., mais elle semblait venir de l'intérieur de moi-même, exprimant les besoins de mon corps et l'aidant à les satisfaire.

Après quelque temps, Suze L. distribua de nouveau des balles, grosses comme des pommes. Elles étaient assez lourdes, d'une livre environ.

« Placez la balle à votre droite. Étendez-vous sur le dos de nouveau, vos bras le long de votre corps, les doigts étendus aussi. Touchez la balle du bout de vos doigts. Poussez-la un peu vers vos pieds, puis ramenez-la un peu vers la paume de votre main. Faites de petits gestes lents. Poussez. Ramenez. Comme si le bras était élastique. »

Sa voix flotte au-dessus de nos têtes comme un nuage.

« Maintenant prenez la balle dans votre paume. Appuyez votre coude et soulevez la balle. C'est ça. Laissez rouler doucement la balle dans votre paume et cherchez le point d'équilibre où la balle se tient toute seule sans que vous ayez à crisper votre bras ou votre main. Faites de votre paume un lit où la balle se repose. Vos doigts ne touchent plus la balle ? Bien. Maintenant reprenez la balle en main et posez-la à côté de votre corps et posez votre bras aussi. Bien. »

Elle ne dit plus rien. Personne ne dit rien. Dans ce silence, un bien-être que je n'ai pas connu depuis cet été où, seule au large, je flottais sur le dos dans une eau claire et immobile... ou peut-être parfois après avoir fait l'amour.

« Ça va ?

– Ça va très très bien, dit l'homme. Je me sens

détendu. Mon épaule, mon bras, ma main ont un poids agréable. Je sens leur volume. Je sens que j'existe dans l'espace, que j'ai trois dimensions. Enfin, vous voyez ce que je veux dire ?

– Je vois. Et vous ? »

Suze L. est debout, à côté de moi. Je lui dis : « J'ai l'impression que mon œil droit est plus grand que mon œil gauche et le coin droit de ma bouche est détendu tandis qu'à gauche j'ai l'impression de faire une grimace.

– C'est plus qu'une impression. Votre œil droit est réellement plus grand et votre bouche est précisément comme vous la décrivez. Marianne, tournez-vous, s'il vous plaît, et regardez notre amie.

– C'est dingue, dit la jeune Marianne. Son œil droit est grand ouvert. Le gauche a l'air tout petit et terne aussi.

– Ne laissons pas notre côté gauche en panne comme ça », dit Suze L. Et elle nous fait faire les mêmes mouvements à gauche.

« Mettez-vous debout maintenant et étirez-vous. »

Mon dos se déplie sur toute sa longueur. Ça n'en finit plus un dos. Un bras, une jambe non plus. Je me croyais épuisée en arrivant et voilà que je sens circuler mon énergie dans tout mon corps. Je me rends compte que je souris. Je regarde vers le tabouret car mon sourire c'est à Suze L. aussi qu'il s'adresse. Mais elle n'est plus là. Autour de moi on commence à s'habiller. Le cours est terminé.

Une fois habillée, je cherche Suze L., mais je ne la trouve pas. Je sors dans l'impasse. Mes pieds sur les pavés ne se tordent plus. Je prends appui sur mes orteils ; ma démarche est élastique. Mes épaules sont déliées. Ma nuque me paraît longue et souple. Mes bras se balancent. Marcher, tout simplement marcher, m'est un plaisir.

Est-ce mon imagination ou les couleurs des arbres sont-elles plus vives, les contours des feuilles plus nets ? Et toutes ces odeurs de terre, ce vent lourd ? Est-ce que le printemps aurait commencé pendant que j'étais dans la maison de Suze L. ?

Et ma maison : celle que j'étais venue chercher à Paris et que je croyais ne pas avoir trouvée ? Et si en fait je l'avais trouvée ? Et si cette première maison de ma vie c'était mon corps ?

2

Le corps forteresse

Comme lorsqu'il désirait faire l'amour, manger, boire, c'était mon corps qui exigeait que je retrouve pour lui le bien-être. Ainsi, chaque semaine, je pris l'autoroute pour venir dans cette impasse devenue pour moi une ouverture vers moi-même.

En plus des élèves du premier cours, je me trouvais avec un homme d'affaires qui semblait cravaté même en tee-shirt, une femme de quarante ans, radieusement enceinte pour la première fois et une adolescente grave, appliquée et qui avait dit son dernier mot – « non » – à l'âge de cinq ans.

Souvent agités, crispés en arrivant, tous se calmaient et moi aussi dans le courant de l'heure passée chez Suze L. Sa sérénité appelait la nôtre. Dans la pièce sans miroir, c'est elle qui nous tendait l'image de ce que nous pourrions être et qui nous attirait irrésistiblement.

Après le dernier cours de la saison, j'ai attendu que les autres soient partis. De toute évidence j'avais attendu pour lui dire quelque chose. Quelque chose qui m'avait semblé important. Quelque chose qui, l'instant venu, m'échappait totalement.

« Je voulais vous remercier. C'est tout. »

Elle me sourit. On se serra la main. Et je partis.

J'étais dans ma voiture avant de me rappeler ce que je voulais lui dire. Je voulais travailler. Je voulais essayer de faire un travail comme le sien. Mon mari, très intéressé par les cours que je lui avais décrits, était d'accord et m'avait dit de demander à Suze L. la formation nécessaire. Il pensait même qu'il pourrait me prendre dans son service à l'hôpital psychiatrique pour travailler auprès de ses malades. Il les considérait non pas comme des « cas », des fous dont il fallait que les hommes raisonnables se protègent, mais comme des êtres humains dont la vérité profonde de l'expression verbale et corporelle est à respecter.

Comment est-ce que j'avais pu « oublier » tout cela tout à l'heure ?

Les longues vacances d'été. Bien dans ma peau, dans mon corps, je regardais jouer mes enfants et mon mari dans la pinède au-dessus de Nice et je me disais que nous étions les privilégiés de la terre, les invulnérables.

15 octobre. Six heures du matin. Un dimanche. Au téléphone une voix que je ne connais pas, une voix de cérémonie : « Madame... votre mari... a été touché par une balle. »

Je suis assise sur le bord du lit encore tiède de la chaleur de son corps. Sous les volets le jour commence à entrer dans la chambre. Il faisait encore nuit il y a un quart d'heure quand il avait été appelé d'urgence dans son service où un malade menaçait les infirmiers d'un pistolet. Il y a un quart d'heure, c'était encore hier. Hier avec les enfants nous faisions des projets pour une fête : la mienne.

Je cours dans le couloir d'un hôpital des environs de Paris. Je passe devant une salle d'attente, un bureau, un office. Je n'entends que mes pas. Je ne vois que mon ombre. Il n'y a personne.

Où sont-ils ? Où est-il ? Pourquoi l'avoir amené ici ? Nulle part. Tous ces hôpitaux de Paris si bien équipés, si proches par l'autoroute déserte à cette heure...

Au fond du couloir une porte s'ouvre. Une femme en blanc avance sans se précipiter.

« Je suis madame Bertherat. Où est-il ?

– En salle d'opération. »

Je suis ses yeux vers l'escalier : une flèche et les mots « salle d'opération ».

« La salle d'attente est en face.

– Blessé où ?

– Près du cœur. »

M'asseoir. Dans l'angle de la première marche et du mur. Ici il fait encore nuit. Ici c'est hier. Personne ne me parle. Personne n'a encore parlé.

Le couloir est de nouveau désert. Puis par une petite fenêtre, pourtant barrée, le jour entre, comme par erreur. Mais le mal est fait. Il ne lui est plus possible de reculer. Alors il avance, mais en rasant le mur.

Derrière moi une infirmière descend l'escalier. Je me presse contre le mur. Sa montre passe devant mes yeux. Huit heures. Six heures et maintenant huit heures. « Je suis madame Bertherat. » Elle continue son chemin. Hier encore à l'hôpital où mon mari était médecin ces mots suffisaient. On me souriait. On m'apportait une chaise. On était tout à moi. Aujourd'hui je mendie. Je tends la main vers la blouse blanche qui se retourne brusquement : « Tout le monde est autour de lui. »

Un homme en costume de ville a surgi du couloir et me bouscule en montant l'escalier en courant.

« Le chirurgien », chuchote l'infirmière.

La panique, brûlante, pénètre par ma nuque, se loge dans ma gorge. Six heures et maintenant huit heures. Deux heures avec une balle près du cœur.

« Il n'y avait donc pas de chirurgien ?

– C'est dimanche.

– Il n'a pas encore été opéré ?

– Mais si, bien sûr que si. » Elle a déjà perdu assez de temps avec moi. Un dernier renseignement, par gentillesse : « Par l'interne de garde. »

Le mur est froid, visqueux ; il suinte.

« Vous n'allez pas rester là. »

Je vais rester là. Sous la flèche. Sous les mots. Je suis dans le mur maintenant. En face le jour avance, verdâtre. Un bol chaud contre mes doigts. L'odeur du café. Dans le couloir des pas, des voix.

« Alors ce groupe sanguin ?

– Le labo n'a pas encore appelé. »

Je m'agrippe à une blouse bleue.

« Quel groupe sanguin ? »

L'autre tire sur sa blouse. Rien à faire. Elle a compris, ma main, que les mots, elle seule peut les arracher du silence, du hasard.

« De votre mari. On a apporté un prélèvement en ville. » En ville. « C'est dimanche. » C'est dimanche. Dans un hôpital. Je croyais. J'avais toujours cru.

Plus personne ne passe. Seul le temps passe. Le jour avance le long du mur du couloir en face. On court. On glisse au tournant. Des chaussures blanches qui me frôlent en montant l'escalier. Je leur demande ce que c'est. Une voix spontanée, essoufflée.

« Le sang. Enfin.

– Il n'y en avait pas ?

– Plus. Fallait en chercher à Paris. »

Sourde, ma voix tape contre le mur : « C'est que c'est dimanche. »

Une porte s'ouvre. Se referme.

Le jour se dresse. Le temps s'arrête. Midi. Six heures, huit heures, l'heure du sang, et maintenant midi. Derrière le mur, un ascenseur brinquebale. Sa porte s'ouvre. Un chariot. Un drap. Sur un corps allongé. C'est lui. Mais ce n'est pas lui. Un visage que je n'ai jamais vu. Deux traînées de sang coulent des narines, se coagulent sur les joues. Un bras me fait barrière. Mais je ne m'étais pas approchée.

« Attendez. On va lui faire un brin de toilette. »

Une infirmière au visage plat, jovial, rouge. Elle me tourne le dos, laisse derrière elle les mots : « L'opération a très bien marché. »

Je reste debout, immobile, enveloppée par ces mots qui justifient tout. « L'opération a très bien marché. »

Si aucun médecin, aucun interne, aucun infirmier, aucune fille de salle n'est jamais venu me parler c'est qu'ils sont tous fatigués d'une si longue opération si bien menée. Si l'interne de garde l'a opéré c'est qu'il se savait parfaitement capable. Le chirurgien endimanché n'a eu qu'à jeter un coup d'œil, vérifier que tout allait bien. Et depuis ils discutent ; ils se félicitent.

L'infirmière sort d'une petite pièce au fond du couloir. Elle s'enferme dans l'office d'en face.

Il est dans un lit maintenant. Ses pieds dépassent du drap. Je les couvre. Je suis sûre qu'il n'aimerait pas montrer ses pieds ici. Il y a une chaise. Je m'assieds. Je n'arrive pas à porter mon regard sur son visage. Il s'arrête à sa gorge. Où un petit tuyau est enfoncé. Ils ont donc fait une trachéotomie ! « L'opération a très bien marché. » Le son de ces mots l'emporte pour moi sur celui de sa respiration bruyante.

On ne voit pas le soleil dans cette pièce aux vitres dépolies. Mais la lumière a changé. Ce doit être l'après-midi. Les jours sont courts en octobre. Aujourd'hui est peut-être plus court qu'hier de quatre minutes. Perdre quatre minutes. Ne perdre que quatre minutes. Ses yeux se sont ouverts. Il me regarde. Je souris. Il voudrait parler. Ses lèvres, sa langue n'obéissent pas.

« L'opération a très bien marché. » Il ne faudra que de la tendresse, que de l'amour pour rétablir la circulation de la vie dans son corps.

C'est bien qu'aucun de ses collègues de l'hôpital ne se soit présenté ici. Nous sommes mieux seuls ensemble. Eux, ils doivent être occupés avec la police, ou plus simplement avec leur famille. C'est dimanche. Je n'ai besoin de personne puisque « l'opération a très bien marché ».

Un bruit métallique. Fort. Assourdissant. Une machine qui se casse. « L'opération a très bien marché. » Respirer ! Même si respirer lui déchire sa poitrine, déchire ses bandages, expose son cœur éclaté ! Respirer !

Ses mains agitées grattent ses bandages, semblent vouloir les ramener vers lui, vers sa bouche. *« Tous les agonisants le font. »*

C'est lui-même qui me l'avait dit. « On dit qu'ils "ramassent". De la chaleur, je suppose, ce qui leur reste de la vie. »

« L'opération a très bien... l'opération... »

« J'étais son ami. » Étais ! « Je suis B. »

Près de la porte, immobile, un gros bonhomme hirsute, débraillé.

« Appelez un médecin ! Un chirurgien ! Appelez un autre chirurgien ! »

Sa voix est sourde, sûre : « Cela ne se fait pas. »

Hurler ne se fait pas non plus. Cogner avec ses

poings ne se fait pas non plus. Frapper son crâne contre le mur ne se fait pas non plus. S'asseoir se fait. Attendre se fait. Alors je m'assieds et personne ne vient me déranger pendant que j'attends qu'il meure.

Lorsque mon cœur à moi ne frappe plus contre mes côtes, ne se loge plus dans ma gorge, ne saute plus dans ma bouche, ne plonge plus dans mes tripes, je sais que je n'ai plus rien à attendre.

Et je sais qu'il y a eu un assassinat dont je n'étais pas témoin et un assassinat dont j'étais témoin et dont j'étais complice. Et que complice je ne le serai plus. Et que crédule et que confiante je ne le serai plus.

Le gros bonhomme s'écarte et me laisse passer. Cette fois-ci dans le couloir il y a du monde. Il y a foule. Des journalistes. Qui a pris le temps de les appeler ? Qui, n'ayant pas osé venir vers l'homme, l'avait déjà transformé en événement ? Aux questions des journalistes, je réponds :

« L'opération a très bien marché », et je m'en vais.

« Au nom de l'Administration... »

Devant son cercueil à l'église Saint-Séverin, je serre les mains des enfants dans les miennes tandis que les mots du préfet passent, en cadence solennelle, au-dessus de nos têtes.

« Aujourd'hui, nous pleurons... »

Il ne pleure pas le préfet. Nous non plus, ni mes enfants ni moi-même. Pas ici.

« Au détriment de ses obligations familiales... »

Mais qu'en sait-il celui-ci ? Le seul « détriment » c'est de l'avoir abandonné moi aussi dans cet hôpital. C'est ne pas avoir osé faire ce qui ne se fait pas. C'est de ne pas l'avoir amené moi-même à Paris où il y avait un équipement, une équipe adéquate. C'est d'avoir laissé passer les heures qui seraient les dernières de sa vie.

« Il vous appartient, madame, de dire à vos jeunes enfants que leur père incarnait un grand... »

Mais vous n'en savez rien, monsieur le Préfet. Vos mots ne peuvent m'instruire. Moi seule je sais ce qu'il m'appartient de faire. Moi seule, dans mon corps, j'ai su comment faire. Quand je suis rentrée à la maison, les petits ont couru vers moi, étonnés de cette longue absence, un jour qui devait être fête. Et papa ? La réponse je la leur ai donnée avec mon corps. Je les tenais contre mon ventre, mes cuisses, ma poitrine pour que toute la tendresse, toute la sécurité, tous les mots qui émanaient en silence de mon corps puissent pénétrer les leurs. « Souffle », disaient-ils lorsqu'ils se faisaient une bosse. Souffler par tous mes pores : voilà monsieur le Préfet ce qu'il m'appartenait de faire.

Mais le préfet parlait de citation à l'ordre de la Nation. Enfin un sujet où il s'y connaissait.

« Nous prendrons les enfants, m'a-t-on téléphoné ce matin. Il faut aller vous reposer. »

Celui qui parlait, un psychiatre, collègue de mon mari, était censé s'y connaître lui aussi. Mais comment avec tout son savoir pouvait-il imaginer qu'il allait « prendre » mes enfants et leur faire perdre dans une même journée leur père et leur mère ? Était-il possible que ce spécialiste de l'esprit si bien intentionné ne comprenne pas que mes enfants avaient besoin pardessus tout de ma présence physique, de mon corps ? Comme moi des leurs.

« Prendre » les enfants, me décharger de mes responsabilités envers eux, n'est-ce pas vouloir nous prendre en charge tous les trois, nous réduire à une image conforme de veuve et d'orphelins faibles et reconnaissants devant l'autorité qui nous a récupérés ?

Plus tard, j'ai appris que les parents de ses malades avaient fait qu'une petite rue de banlieue porte le nom « impasse du Dr Bertherat ». Enfin un geste qui me semblait juste, humain. Sans recours devant le masque sans corps de l'Autorité, ils disaient ainsi leur désarroi car certainement ils se sentaient eux aussi dans une impasse.

Je n'ai fait appel qu'à une personne. Suze L. m'a reçue dans son bureau, une petite pièce feutrée qui donne sur un jardin à l'abandon derrière la maison. Assise à côté de moi, elle ne me touchait pas. Elle attendait que je puisse lui parler. A travers un brouillard d'images, de souvenirs, je cherchais la clarté des mots banals. J'ai trouvé : « Il faut que je travaille. Je n'ai pas de ressources.

– Si, si, vous en avez.

– Si je pouvais faire un travail comme le vôtre. Déjà avant...

– C'est ce que vous vouliez me dire ?

– Vous aviez deviné ? »

Elle ne répondit pas.

« Vous pensez que je pourrais ?

– Je vous aiderai. Il faut passer un diplôme. Il y a beaucoup de choses à apprendre.

– Mais ce qui ne s'apprend pas ? La sérénité. La patience.

– Détrompez-vous. La sérénité, comme vous dites, je l'ai acquise et c'était le plus difficile.

– Je ne peux pas vous imaginer autrement.

– J'étais coléreuse, violente même. Avant.

– Avant de travailler ?

– Avant d'être opérée. »

Elle tient mon regard dans le sien.

« J'ai été opérée deux fois. Un cancer du sein. »

Pas dans ce corps solide et chaleureux ! Pas possible que la mort ait pu entrer dans son corps à elle aussi. Des larmes coulent le long de mon nez.

« C'était il y a dix ans. J'étais encore jeune. Je l'ai pris très mal. Je me sentais abîmée, moralement aussi. Je ne rêvais que de redevenir comme j'étais avant. Je n'imaginais pas que je pouvais devenir infiniment mieux. »

Je lui dis que je ne comprenais pas. Alors elle me raconta comment à partir de son corps diminué, elle avait bâti un corps forteresse.

Après son opération, elle ne pouvait ni tousser, ni parler, elle pouvait à peine respirer sans avoir mal. Elle souffrait de douleurs vives et constantes à l'épaule, au bras, à tout le côté gauche. Impossible d'amener le bras en arrière. « Quel besoin avez-vous de l'amener en arrière ? Cela ne vous suffit-il pas d'être vivante ? » lui répondit son médecin.

Mais soumise à l'oppression de son corps, elle ne participait plus à la vie. Elle se sentait un être à part, humiliée, punie, seule avec sa douleur. Comme un animal dans un piège, elle ne voyait pas d'autre manière d'échapper à sa douleur qu'en se coupant de la partie souffrante, qu'en la laissant derrière elle.

Puis un jour elle lut un article signé L. Ehrenfried. On y parlait du corps non pas comme d'une machine maléfique qui nous tenait à sa merci, mais comme d'une matière souple, malléable, perfectible.

Elle se souvint que quelques années auparavant, elle s'était adressée à Mme Ehrenfried, une spécialiste des problèmes de gaucherie, parce qu'elle craignait de contrarier sa fille qui ne se décidait pas à être « une vraie gauchère ».

Mme Ehrenfried l'avait rassurée à propos de sa fille. Puis elle avait suggéré que Suze L. travaille avec elle. Ayant compris que Mme Ehrenfried voulait qu'elle l'assiste dans les conférences qu'elle donnait aux parents des enfants qu'elle soignait, Suze L. refusa et ne retourna plus chez Mme Ehrenfried.

Mais maintenant elle allait la retrouver, cette femme extraordinaire qui avait fui le nazisme en 1933 et s'était trouvée à Paris nantie d'un diplôme de docteur en médecine inutilisable en France. Seule, elle avait compris que son premier refuge était son propre corps. Lentement elle avait mûri une méthode de ce qu'elle était obligée d'appeler « gymnastique » par manque d'un autre mot. Sa réputation de théoricienne éclairée s'était faite de bouche à oreille et maintenant elle avait des centaines d'élèves enthousiastes.

Mme Ehrenfried faisait toujours travailler un côté du corps et puis l'autre car elle avait découvert que quand un côté vit pleinement, l'autre côté ne supporte plus son infériorité. Il devient disponible à l'enseignement de sa « meilleure moitié ».

Ainsi à travers la méthode de Mme Ehrenfried, Suze L. cessa de ne penser qu'à son côté mutilé et se concentra d'abord sur son côté normal.

A l'encontre de la gymnastique classique qui cherche à développer des muscles déjà surdéveloppés, elle apprit des mouvements doux et précis qui l'aidaient à se délier les muscles, à libérer une énergie qu'elle ne se connaissait pas. Elle apprit qu'elle avait une épaule, un bras, un côté sain et fort, plein de possibilités qu'elle n'avait jamais soupçonnées. Elle apprit à se voir juste, sans illusions, et à reconnaître enfin les gaucheries que Mme Ehrenfried avait dû remarquer des années auparavant quand elle avait suggéré que Suze L. travaille avec elle. Car elle ne l'avait pas vue comme assistante mais comme élève.

Suze L., qui ne s'était jamais posé de questions sur son corps avant qu'il ne devînt pour elle source de douleurs, se rendit compte que jusqu'alors elle avait respiré d'une manière superficielle et saccadée. Elle retenait son souffle tout comme elle avait l'habitude de retenir ses émotions, sa colère. Résignée depuis des années à ne pas savoir nager, elle osa enfin confier à l'eau profonde son corps détendu et découvrit qu'elle savait nager et y prendre plaisir. Autrefois maladroite, ne pouvant pas faire la vaisselle sans casser un verre ou porter à sa bouche une tasse de café sans la renverser, ses gestes devinrent sûrs, fluides.

Au long de plusieurs mois de travail précis et intense, elle comprit que son « bon côté », était meilleur qu'elle ne le croyait. Mais surtout elle découvrit que sa bonne épaule était liée par des nerfs, des muscles à l'épaule douloureuse, que ses côtes étaient reliées à une colonne vertébrale dont les vertèbres sont toutes articulées entre elles. Elle comprit enfin que cette énergie, ces courants de bien-être qu'elle sentait animer son bon côté pouvaient, devaient passer au côté blessé qu'il ne fallait pas laisser pour mort, mais faire vivre comme jamais auparavant il n'avait vécu.

Au début sa chair douloureuse résista, craignant de nouvelles souffrances, semblant vouloir rester à l'écart, en dehors de l'unité du corps. Elle s'acharna et bientôt son corps, conscient de ses menus progrès, gagna de la confiance. Il lui semblait même que c'était son corps qui allait au-devant de la volonté qu'elle lui imposait. Bientôt ce fut son corps même qui sembla chercher à rétablir son unité, qui sembla savoir mieux qu'elle comment faire.

« Je me suis mise à assister à tous les groupes, cinq ou six par jour. Je ne faisais plus que ça. Mes pieds, mes jambes, ma colonne vertébrale, ma respiration, tout était à faire. C'est long à bâtir, vous savez, un corps qui reconnaît sa force.

– Et maintenant ?

– Je continue à travailler tous les jours. J'essaie sur moi-même tous les mouvements que je fais faire à mes élèves. Il faut que je les comprenne avec mon corps avant de pouvoir les indiquer à vos corps. Comme tous les convaincus, mon corps veut prêcher ce qu'il sait. Mais parfois... Votre nouveau métier, vous allez découvrir qu'il ne s'apprend pas dans les livres. »

Sa voix devint plus douce encore.

« C'est un métier d'une exigence terrible. Un métier usant. »

Je ne comprenais pas. Pas encore.

3

La salle de musique

Étudiante attardée de trente-six ans, je m'inscrivis à une école pour obtenir un diplôme. La directrice, qui avait été, disait-on, ambulancière pendant la guerre de 14, était redoutée des élèves. Quand je me suis présentée, cette grande femme anguleuse s'approcha de moi, me tapa énergiquement sur l'épaule et me déclara rudement : « On ne va pas revenir sur ce qui vous est arrivé. » En elle je trouvai une alliée généreuse qui s'acharna à ma réussite.

Voilà que j'apprenais maintenant ce qu'il y a sous l'enveloppe : les os avec leur nombre incroyable d'encoches, de tubérosités, de tubercules ; les muscles : un écheveau de bandelettes à débrouiller en cherchant les tenants et les aboutissants. Le réseau compliqué des nerfs. Tout cela dessiné bien proprement d'après un cadavre dans les tomes du « Rouvière » dont mon mari s'était servi pendant ses premières années de médecine.

Le langage m'était familier, mais parfois j'avais du mal à comprendre que ces dessins figés, techniques comme ceux d'une machine, pouvaient correspondre à la réalité du corps vivant que je concevais maintenant comme étant toujours en mouvement, chargé d'énergie ; une unité et non pas un assemblage de pièces diverses.

Un soir, subitement, j'interrompis ma lecture et j'appelai Mme Ehrenfried.

« Venez à mon cours de cinq heures demain. Venez dix minutes avant. »

Je raccrochai, frappée par la musicalité de sa voix au léger accent allemand.

Le lendemain je découvris une femme d'un certain âge, large, solide, aux beaux cheveux blancs coupés court. Son regard aigu se posa rapidement sur le haut de mon visage.

« Je pensais que vous étiez blonde.

– Comment ?

– Vous avez une voix de blonde. »

Au fond de la grande pièce claire avec vue sur le cimetière Montparnasse, se trouvait un immense piano à queue et partout des tapis de couleurs vives. Et des fleurs, une abondance de fleurs, sur le piano, dans des vases posés par terre dans tous les coins de la pièce.

Elle se retourna.

« Excusez-moi un instant. Asseyez-vous. »

Mais il n'y avait pas de chaise. Quand elle revint, je m'excusai d'être arrivée trop tôt.

« Vous voulez peut-être préparer votre leçon ?

– Je ne prépare jamais mes leçons ! Il faut travailler d'après les participants. Il suffit de les regarder pour voir ce dont ils ont besoin. Une leçon préparée d'avance est une leçon ratée d'avance.

– Mais comment voir ?

– Apprenez à vous voir d'abord, à voir les autres ensuite et aidez-les à se voir enfin : voilà une grande partie du travail pour lequel vous vous préparez.

– Mais les exercices ?

– Les quoi ? »

Sa voix était montée d'une octave. Je n'osai pas répéter ma question.

« Ce mot-là n'existe pas dans mon vocabulaire et ne doit pas exister dans le vôtre si vous voulez faire du bon travail. »

Et puis comme si elle tenait à faire disparaître tout de suite et à jamais les idées fausses que je pouvais avoir déjà acquises, elle me fixa du regard et se lança dans une explication du fond de sa méthode.

« Ici nous ne faisons jamais de répétition mécanique d'un mouvement. Forcer un corps à agir à l'encontre de ses réflexes inconscients ne sert à rien, rien de durable. Dès que l'attention flanche, le corps reprend ses vieilles habitudes. L'explication scolaire est immédiatement oubliée. Nous, nous essayons de *rendre perceptible à la sensation* ce qu'il y a de défectueux dans les attitudes et les mouvements exécutés involontairement et depuis longtemps. C'est l'expérience sensorielle du corps que nous recherchons. Vous avez remarqué qu'il n'y a pas de miroir chez moi ? »

Sur ses murs des rayonnages pleins de vieux livres reliés, de revues médicales, de titres allemands, de partitions de musique.

« L'élève doit se découvrir non pas de l'extérieur mais de l'intérieur de lui-même. Il ne doit pas compter sur ses yeux pour vérifier ce que fait son corps. Toute l'attention doit être centrée sur le développement de ses perceptions autres que visuelles. De toute manière, les yeux ne peuvent voir que ce qui est devant eux. »

Je fis des signes de tête pour indiquer que je la suivais mais elle ne me regarda pas.

« Quand l'élève réussit enfin à prendre conscience d'un mouvement maladroit ou de l'immobilité d'une partie de son corps, il en éprouve un sentiment désagréable, presque de gêne. Son corps désire apprendre une meilleure façon de bouger ou de se tenir. C'est à nous de lui donner l'occasion de créer de nouveaux réflexes qui lui permettront le rendement maximal auquel il aspire. Car le corps est construit pour fonctionner à son maximum. Sinon il se détériore. Et non seulement les muscles, mais tous les organes internes. Mais tout cela sera plus clair, plus tard. Il suffit d'écouter.

– Je vous écouterai, madame.

– Cela ne sert à rien si vous n'êtes pas aussi à l'écoute de votre corps. »

On sonnait à la porte. Plusieurs personnes d'âges divers entraient. A la fin, nous étions une douzaine. Par la suite, j'ai appris que certains étaient des kinésithérapeutes classiques insatisfaits des résultats qu'ils obtenaient avec leurs patients ; il y avait aussi un médecin acupuncteur, une éducatrice de handicapés mentaux et des personnes aux corps visiblement déformés qui venaient se rééduquer elles-mêmes.

Mme Ehrenfried tira un tabouret de l'entrée et s'assit.

« Étirez-vous. »

Je ne bouge pas, je ne sais que faire.

« Allez-y. Étirez-vous en tous sens. Comme vous voulez. Comme un nourrisson, comme un chat. »

Pas facile de s'étirer « à froid ». Enfant, on m'interdisait de m'étirer, à table en particulier. Mme Ehrenfried vint à mon secours.

« Penchez-vous un petit peu en avant. Levez un peu les bras devant vous. Pensez que tout le haut de votre corps s'étire vers le ciel. Maintenant fléchissez légèrement les genoux. Les cuisses, les jambes s'étirent vers la terre. Imaginez que votre taille est la frontière entre ciel et terre. Et le dos ? Sentez-vous qu'il s'étire ? »

Je hoche la tête mais elle n'attendait pas de réponse.

« Maintenant allongez-vous sur le dos, s'il vous plaît. »

Il me semblait que debout nous remplissions déjà bien la pièce. Les autres s'arrangeaient tant bien que mal, se créant de minuscules territoires sur les tapis colorés. Moi seule je restais debout, acculée au piano.

« Mais vous n'êtes pas si grande que vous pensez. Mettez votre tête sous le piano. Vous aurez amplement de la place. »

Ainsi commença une leçon pendant laquelle je découvris que mon cou, que j'avais toujours cru long, donc élégant, était en fait rigide, sans grâce.

Une fois couchée à plat dos, Mme Ehrenfried me demanda si je sentais le poids de ma tête sur le sol. J'étais sur le point de répondre que bien sûr que oui car je savais bien que la tête est lourde ; on m'avait même appris que le poids moyen d'une tête est de 4 à 5 kilos. Mais j'ai hésité. J'ai pris le temps de me rendre compte de ce que j'éprouvais et découvris que je sentais à peine le poids de ma tête sur le sol. Tout le poids de ma tête était soutenu par ma nuque. Elle me dit de laisser ma tête devenir comme une pomme qui pend au bout d'une branche. Toujours assise sur son tabouret à 3 mètres de moi, elle m'aidait par ses seuls mots à sentir s'alourdir la pomme, s'assouplir la branche.

Elle me donna la sensation que ma nuque commençait non pas à la hauteur de mes épaules mais entre mes omoplates, et qu'elle pouvait se ployer en avant « comme le cou d'un cygne ».

J'aimais ces images surannées et simples qui ramenaient toute mon attention vers la partie du corps dont il s'agissait. Plus tard dans mes propres groupes, quand je me servais de certaines versions de ces mouvements pour aider mes élèves à se délier, j'essayais de n'utiliser que des mots, de ne pas toucher mes élèves et de ne pas leur faire la démonstration des mouvements. Je ne voulais ni qu'ils m'imitent ni que leur corps obéisse aux pressions de mes mains, mais plutôt qu'ils arrivent à faire eux-mêmes la découverte sensorielle de leur corps.

« Si vous êtes obligée de toucher, c'est que vous ne savez pas indiquer », disait Mme Ehrenfried.

Mais les mots aussi sont une affaire délicate. Si Mme Ehrenfried m'avait simplement dit : « Vous avez la nuque raide », je ne l'aurais pas crue car je trouvais ma nuque très bien dans sa position usuelle. Et si elle m'avait dit que je me braquais contre les coups que j'attendais ou que je refusais d'accorder à ma tête son juste poids parce que jusqu'à quelques semaines auparavant j'avais compté sur une autre tête pour penser pour moi, j'aurais méprisé ses remarques. Ou bien j'aurais pris peur de ses perceptions peut-être trop justes. Décidément, des images simples, en rapport avec la nature, ont grande utilité dans la mesure où elles vous permettent de faire votre propre chemin vers les réalités de votre comportement psychique et corporel.

Dans le courant de cette première leçon, j'ai commencé à comprendre que les mouvements que nous indiquait Mme Ehrenfried avaient un dessein. Comme des notes de musique qui s'ajoutent pour faire une gamme, les mouvements de la tête, des épaules, des bras, des hanches, des jambes se développaient, révélant au corps l'interdépendance de ses parties.

Un autre des élèves, un jeune compositeur qui avait

étudié avec elle depuis plusieurs années, poussait plus loin l'analogie musicale. Il disait que ses leçons lui rappelaient des leçons d'harmonie. « Harmonie », « harmonieux »... ces mots n'avaient pour moi presque plus de sens à force d'avoir servi à décrire tant d'états anodins. Mais pour lui le mot « harmonie » avait conservé sa stricte définition musicale : la science des accords et des simultanéités. Plus tard, au fur et à mesure que mes gestes quotidiens devenaient plus « naturels », car enfin je me servais des muscles et de l'énergie appropriée, j'ai pu comprendre comment le mouvement d'une partie du corps est « vécu » par le corps entier et comment son unité est faite de la simultanéité de mouvements non pas contradictoires mais complémentaires.

C'est chez Mme Ehrenfried que j'ai appris aussi à reconnaître et à respecter le tempo particulier de mon corps, à lui laisser le temps de découvrir les nouvelles sensations qu'il recherchait. « Un effort nouveau d'un bras ou d'une jambe exige l'utilisation de commandes nerveuses jusqu'ici inemployées. Si vous vous pressez, si vous vous forcez, si vous transpirez d'effort, vous vous empêcherez d'entendre votre corps. Ici, nous faisons un travail délicat, précis. »

Pour Mme Ehrenfried la respiration est à la base du corps harmonieux. Nous respirons à l'économie, disait-elle. « Comme le propriétaire d'un appartement de six pièces qui vivrait dans sa cuisine. »

Je me croyais plus évoluée que d'autres. N'avais-je pas appris déjà comment faire pratiquer la respiration à des paralysés des muscles abdominaux, à des paralysés des muscles intercostaux ?

Mme Ehrenfried nous fait allonger par terre.

« Ne faites rien. Laissez-vous respirer. C'est tout. »

J'ai aspiré énergiquement, gonflant la cage thoracique. Puis j'ai expiré un peu par le nez et aussitôt j'ai aspiré de nouveau.

« Vous ne mourez pas en respirant comme ça, dit-elle. Mais vous ne vivez pas non plus. Pas pleinement, tout au moins. »

Je me suis rendu compte que ma difficulté était celle de presque tout le monde. Je ne soufflais pas. Je retenais l'air dans les poumons qui restaient ainsi partiellement distendus et avaient perdu l'habitude d'expulser l'air. Pour moi, bien respirer voulait dire bien aspirer, gonfler la cage thoracique, faire trembler les narines. Mais en fait le plus important est de souffler.

Mais comment apprendre à respirer ? Mme Ehrenfried méprisait les disciplines diverses qui consistaient à bloquer le ventre ou le diaphragme ou à « se concentrer » pour retomber dans ses mauvaises habitudes à la première distraction. La respiration doit être naturelle. C'est au corps de trouver ou plutôt de retrouver le rythme respiratoire qui lui est propre.

Mais pourquoi avons-nous perdu notre rythme respiratoire naturel ? N'est-ce pas que dès les premiers instants de la vie nous coupons notre souffle quand nous avons peur ou quand nous nous faisons mal ? Plus tard, nous le retenons quand nous essayons de nous empêcher de pleurer ou de crier. Bientôt nous ne soufflons que pour exprimer notre soulagement ou quand nous « prenons le temps » de le faire.

Respirer superficiellement, irrégulièrement devient notre moyen le plus efficace de nous maîtriser, de ne plus avoir de sensations. Une respiration qui ne nous oxygène pas suffisamment fait travailler tous nos organes au ralenti et réduit nos possibilités d'expérience sensorielle et émotive. Ainsi nous finissons par

« faire le mort » comme si notre grand souci était de survivre jusqu'à ce que le danger – vivre ! – soit passé. Triste paradoxe. Sinistre piège dont nous ne cherchons pas à nous libérer car nous n'avons pas conscience d'être prisonniers.

Comment permettre au corps de retrouver sa respiration naturelle perdue depuis si longtemps ? De nouveau Mme Ehrenfried nous demanda de nous coucher sur le dos et, cette fois-ci, de fermer les yeux. Parlant très doucement, nous berçant de ses mots, elle nous dit d'imaginer nos yeux non pas comme sortant de notre tête, mais comme reposant dans leurs orbites, « comme des cailloux qu'on laisserait glisser dans une mare. Attendez la fin des remous ».

Je me détendais et pendant un instant j'étais loin de mes préoccupations quotidiennes. C'est alors que j'ai poussé un soupir profond. Et c'est à partir de ce soupir, de cette grande expiration involontaire, que mon rythme normal s'est rétabli !

Au lieu d'aspirer généreusement, de souffler avec avarice et puis d'aspirer de nouveau tout de suite, je m'étais mise à respirer en trois temps : 1. j'aspirais 2. je soufflais, complètement cette fois-ci et 3. mon corps attendait.

Il attendait d'avoir besoin d'air avant d'aspirer de nouveau. J'ai appris par la suite que cette pause correspondait au temps nécessaire au corps pour utiliser la provision d'oxygène apportée par la respiration précédente. Pour la première fois depuis des semaines, j'éprouvais une profonde paix intérieure. Je me suis mise à bâiller, des bâillements énormes, incontrôlables, comme si je satisfaisais enfin une soif d'air réprimée depuis longtemps, peut-être depuis ma plus tendre enfance.

Le plus extraordinaire sans doute c'est qu'une fois que mon corps avait retrouvé son rythme respiratoire naturel, il le conservait pour toujours. Les anxiétés qui m'avaient autrefois déformé la respiration cédaient maintenant à l'autorité de mon corps qui donnait des preuves qu'il « savait faire », qu'il agissait pour mon bien.

A partir du moment où je m'oxygénais suffisamment et régulièrement, où mes poumons et mon diaphragme travaillaient à leur maximum, et par leur mouvement doux et continuel purent « masser » mon foie, mon estomac, mes intestins, je constatai d'autres améliorations encore. Je repris de l'appétit. Mes insomnies disparurent. Je me concentrais mieux sur mes études. Je me sentais mieux armée, prête à affronter de nouvelles responsabilités dont je ne soupçonnais pas cependant l'étendue.

Beaucoup plus tard, en réfléchissant sur le travail et le personnage de Mme Ehrenfried, j'ai pu apprécier comment sa connaissance du corps-machine tel qu'il est représenté dans les « Rouvière » ne l'avait pas empêchée de chercher plus loin, ou, dois-je dire, plus près. Médecin aux diplômes inutilisables, elle ne pouvait « pratiquer » que sur son propre corps. Elle a compris que sa santé ne dépendait pas de l'utilisation de traitements venus de l'extérieur, mais de l'utilisation juste du corps même.

4

La maison hantée

C'est l'heure. Dans ma pièce de travail, j'attends mes premières élèves. Elles seront quatre. La veille je les avais reçues chacune séparément, juste le temps de les regarder, de commencer à les voir. Et de les écouter. Les trois premières furent très brèves. La quatrième, V., a parlé longuement, inlassablement.

Le débit saccadé : des mots en feux d'artifice qui s'arrêtent brusquement, le temps d'un regard qui vous fixe derrière ses cils battants, puis repartent dans une nouvelle montée d'étincelles. Le registre glissant, imprévisible : une voix assez basse, agréable qui, à mi-phrase et sans rapport avec son contenu, monte, grince, s'étrangle, puis redescend comme si rien n'était.

Elle ne fait aucun effort pour maîtriser son déchaînement vocal. Elle ne semble même pas en avoir conscience. Elle me raconte qu'encouragée par son psychanalyste, qui est un de mes amis, elle a consenti à assister à mon cours. Parole d'analyste est sacrée. J'apprends qu'elle fait un travail intéressant mais qui ne l'intéresse pas. Que son mariage se défait. Que l'enfant qu'elle espérait ne vient pas.

« Aussi je mange des chocolats, conclut-elle. Trop de chocolats. »

Frappée par son aisance à me dire son malaise, elle me fait penser à une actrice qui donne une première lecture, qui n'est pas encore « entrée » dans son personnage. Je ne sais pas comment lui donner la réplique. Mais, monologueuse, elle n'attend de moi rien de la sorte. Déjà levée, elle me tend la main puis disparaît prestement.

Après son départ, sa voix, ses voix, me restent dans l'oreille. Mais mes yeux ne se souviennent de rien, sinon qu'elle était brune. Derrière son écran de paroles elle avait réussi à se cacher de moi, à se rendre invisible.

Avec H., l'amie d'une amie, l'entretien est très court. A ma question : « Pourquoi voulez-vous venir au cours ? » elle répond avec un léger accent que je ne reconnais pas : « Pour perdre mon ventre. » Mais elle n'a pas de ventre ; elle n'a de graisse nulle part. Autrefois mannequin, elle a des jambes et le cou très longs. Et d'une raideur extraordinaire. Elle n'en semble pas du tout consciente. Pas plus que du port de sa tête qui avance, lorsqu'elle se penche, comme celle d'une tortue hors de sa coquille. L'air presque désinvolte, elle me fait un éblouissant sourire professionnel et s'en va.

C., mon amie depuis longtemps, s'efforce de me raconter pendant notre premier entretien « officiel » les détails d'une grave chute qu'elle avait faite dans sa jeunesse et d'une opération d'une hernie discale quelques années auparavant. Elle en souffre encore et n'aime pas du tout en parler.

N., une voisine de palier, vient faire « un peu de gymnastique » par curiosité et parce que c'est commode. Mais sur le pas de la porte elle me glisse qu'elle avait « oublié » de me dire qu'elle souffrait parfois du dos et que même elle se faisait manipuler les vertèbres plusieurs fois par an.

Ayant appris à l'école l'importance de la pathologie vertébrale, il me semble évident que je dois donner mon attention surtout à mon amie C. et à ma voisine N.

Et voilà qu'elles arrivent toutes les quatre dans leurs collants sans pieds, leurs tricots unis. Sauf V., dans un pull noir aux rayures blanches en zigzag. Il fait mal aux yeux son pull. Mais ce sont ses yeux à elle qui clignent. Elle avance avec précaution dans la pièce vide.

« J'ai le vertige », dit-elle.

La pièce serait-elle trop lumineuse ?

Après quelques étirements, je demande à mes quatre élèves de s'allonger au sol. V. pousse un énorme soupir de soulagement. Couchée, retrouve-t-elle la sécurité (relative) du divan de l'analyste ?

Je demande d'imaginer que chacune dessine en creux l'empreinte de son corps sur le sol. Fini le soulagement de V. Ses paupières battent. Agacée, elle soulève l'épaule, la tape, l'écrase contre le sol. Soudain, elle se plie en position assise et se presse les orteils du pied gauche dans les deux mains.

« J'ai une crampe ! » Puis : « J'en ai souvent. J'en ai la nuit. Ça me réveille. Qu'est-ce que ça veut dire ? D'où ça vient ? »

Elle semble étonnée que je ne le sache pas. Mes autres élèves gardent le silence, s'appliquant à se creuser dans le sol. Mon amie C. a enlevé ses lunettes. Je suis touchée de la voir ainsi, les yeux fermés, un air de ferveur.

Mais les misères de V. l'emportent. Partant de ses orteils pathétiquement dressés, nous nous asseyons pour travailler les articulations des orteils et du pied. Je m'efforce d'établir un tempo lent, une progression graduelle des mouvements. Mais je ne résiste pas à l'agitation de V., et les mouvements s'enchaînent plus rapidement que je ne voudrais.

Dans le dernier mouvement où l'on déplie l'arrière des jambes tel un chat qui s'étire en faisant ses griffes, V. semble enfin trouver un peu d'apaisement. Mais la séance finie, nous avons droit à une véritable explosion verbale : le bouquet ! Nous apprenons entre autres qu'elle est à la fois la maîtresse et l'esclave de deux chattes (l'image des griffes, donc, lui parlait). Pendant qu'elles s'habillent toutes les quatre dans la pièce avoisinante, j'entends encore la voix de V. dominant les autres. Elle continue même derrière la porte d'entrée refermée.

Seule, le silence rétabli, j'ai une impression de ratage. Que l'on m'a eue. Moi qui avais l'intention de me concentrer sur celles qui souffraient « vraiment », voilà que, toute mon attention a été captée par une jeune femme qui ne s'est même pas plainte de douleur. Et voilà que je suis incapable de retenir une idée précise de son corps. Son regard intense fixé sur moi comme pour intercepter mon regard sur elle, son pull en éclairs aveuglants, son agitation constante se sont ajoutés à son armure verbale. Dans le silence, c'est son corps qui crie par ses crampes, ses battements de paupières. Quelle vérité non dite, enfouie depuis quand, croit-elle que l'on veut lui arracher ? Quel secret défend-elle si avidement ?

Quelques heures plus tard, je suis toujours gênée par le déroulement du cours, et par des courbatures des bras, des épaules, des cuisses. Les miennes ! Pourtant je n'avais eu conscience que de me servir de ma voix. Immobile devant mes élèves, je ne leur avais même pas tourné le dos. Comme une mère qui ne lâche pas du regard un instant ses très jeunes enfants. Par peur qu'ils ne se fassent mal, ou qu'un danger imprévisible surgisse, elle ne sait pas d'où. Et si mon travail était en fait dangereux ? Pourtant je sais parfaitement bien que les mouvements n'exigent pas de force musculaire, ne présentent aucun risque pour le corps. Je ne comprendrai que plus tard cette première impression encore imprécise de m'être engagée dans un domaine dangereux.

Je m'apprête à me coucher tôt quand le téléphone sonne. Une femme m'annonce qu'elle a un torticolis très douloureux. Je ne reconnais pas la voix. Que ce soit celle de N., ma voisine, ne m'aurait pas surprise. Mais c'est H.

Elle arrive chez moi rapidement. Sur son beau masque de mannequin, je lis non pas de la douleur, mais de la colère. En l'examinant, je m'aperçois que non seulement les muscles de son cou et de ses épaules sont tendus, mais aussi les muscles tout le long du dos, des jambes. Pendant que je travaille à dénouer les trapèzes de sa nuque fort contracturés à droite, elle me dit de ne pas l'épargner, de faire le nécessaire pour qu'elle soit en forme pour le lendemain. Elle doit l'être absolument. Pourquoi ? Parce qu'elle doit se lever tôt. Elle doit faire le marché. Elle doit préparer un repas. Elle doit chercher sa petite fille à la gare.

« Elle était en vacances ?

– Non, elle vit chez ma mère. Mais le dernier samedi du mois elle doit venir chez moi. Elle n'aime pas ça. Elle pleure pour ne pas venir. Mais elle doit venir.

– Ah.

– Je dois la recevoir. » Puis elle me lance : « Ne pensez pas que cela m'amuse. » Et elle attend ma réaction.

Je ne m'occupe que des nœuds de sa nuque. Elle reprend :

« Surtout ce qui me met en boule – comme vous dites – c'est d'aller au marché. Et puis la cuisine.

– Vous lui préparez ses plats préférés ?

– Certainement pas. Elle doit manger de tout. »

Pendant un instant, j'imagine H. au marché, hésitant devant les étalages, soucieuse de ne choisir que les mets les moins appétissants.

« Vous pouvez y aller très fort, me rassure-t-elle. Demain, vous savez, je dois... »

Je dois. Elle doit. Cette jeune femme à la vie apparemment libre, se sentirait-elle ligotée à ce point par le devoir que son corps s'est immobilisé ? Vous avez souvent des torticolis ?

– Non ! » Puis : « Je ne sais pas. Je ne m'en occupe pas. Si, si, j'en ai. Une fois par mois. Je ne sais pas, plus peut-être. »

Je pense changer de sujet en lui disant qu'elle a un joli accent mais que je n'arrive pas à le situer.

« Personne ne peut. » Un long silence. Et puis sans que je lui pose aucune autre question, elle me raconte qu'elle est née en Autriche, mais qu'elle a été élevée en Argentine. « A l'autrichienne », précise-t-elle.

Plus encore que son père, c'est sa mère qui lui a appris la discipline. Elle a appris à plonger son corps dans l'eau glacée, à marcher des heures durant sous le soleil brûlant, à dormir à même le plancher, à traverser le vaste jardin la nuit sans lanterne, à minimiser ses blessures, à ne jamais pleurer.

« Je n'avais peur de rien, même pas des hyènes qui hurlaient dans la nuit. »

Elle n'a aucun reproche à faire à cette éducation. Elle en parle avec fierté pendant que sous mes mains je sens se raidir de nouveau les muscles que je viens de délier.

« Seulement les serpents me faisaient peur. Il y en avait partout. » Puis : « Ma fille, elle, a peur de tout. Même ma mère ne peut rien avec elle.

– Quelle âge a-t-elle ?

– Déjà cinq ans. C'est fichu, je crois. »

Elle tombe dans un long silence et moi aussi. Comment expliquer à cette femme que la rigidité de ses muscles est indissociable de la rigidité de cette éducation dont elle est si fière qu'elle veut l'imposer à sa fille ? Elle prétend en être satisfaite, mais son corps proteste. Il freine devant les obstacles qu'elle se fait un devoir de franchir. Elle croit s'aimer, ne voit d'imparfait dans son corps qu'un ventre qui n'existe pas. Comment lui faire comprendre qu'elle ne s'aime pas et qu'elle ne peut s'aimer ni aimer sa fille qu'une fois qu'elle aura pris conscience de son corps bâillonné et qu'elle pense devoir braver aussi ?

Même si ce discours pouvait à la rigueur être compris et accepté intellectuellement par H., il ne changerait rien à son état. Mon travail ne pouvait consister qu'à l'aider à reconnaître la rigidité de son corps. Elle accepta de venir régulièrement.

Les torticolis sont revenus souvent encore la première année, mais jamais avec la violence de la première fois. Au long des mois de travail avec elle, j'ai cru remarquer parfois que son masque de défi se laissait remplacer par une expression d'introspection, de trouble véritable.

Je ne l'interrogeais pas mais souvent en la regardant je pensais à cette citation de Wilhelm Reich : « Toute rigidité musculaire contient l'histoire et la signification de son origine. Sa dissolution non seulement libère l'énergie... mais aussi ramène à la mémoire la situation infantile même où le refoulement a eu lieu[1]. »

Et ce danger que je ressentais lors de mon premier cours... ne serait-ce pas de la mémoire qu'il surgirait ?

Dès mes premières expériences professionnelles et à travers des années de travail, j'ai constaté que chaque nouvel élève a de son corps une conscience partielle, fragmentaire.

« Un pied ne sait pas où marche l'autre », dit-on pour se moquer de quelqu'un. Or, dans la pratique, la dissociation non seulement des membres mais de toutes les parties du corps est habituelle et considérée comme normale. Nous ne savons pas comment agissent les parties de notre corps les unes par rapport aux autres et nous ne savons pas non plus comment elles sont organisées et quelles sont leurs fonctions et leurs possibilités véritables.

Nous acquérons très tôt un répertoire minimal de gestes auquel nous ne pensons plus. Pendant toute notre vie, nous répétons ces quelques mouvements sans jamais les remettre en question, sans comprendre qu'ils ne représentent qu'un très petit échantillon de nos possibilités. Comme si nous n'avions appris que les premières lettres de l'alphabet et que nous nous contentions des quelques mots que nous pouvons composer avec elles. Dans ce cas, non seulement notre vocabulaire est réduit, mais aussi notre capacité de penser, de raisonner, de créer. Quand un être ne se sert que d'une centaine des mots qui forment sa

1. W. Reich, *La Fonction de l'orgasme*, Paris, L'Arche, 1970, p. 236.

langue, on dit qu'il est un débile mental. Or la plupart d'entre nous n'utilisent que quelques variations d'une centaine des 2000 mouvements (au moins) dont l'être humain est capable. Mais nous ne prendrions jamais au sérieux celui qui suggérerait que nous sommes des débiles moteurs...

Si nous ne nous sentons pas en rapport avec notre corps, ne serait-ce pas que nous ne sentons pas le rapport des parties de notre corps entre elles ? Quant au rapport entre la tête et le corps, il y a souvent rupture totale. D'où cette fausse notion de la séparation des pouvoirs psychiques et physiques. Pour beaucoup d'entre nous, la tête c'est la tête et le corps c'est le corps. Et encore. Le corps, c'est plutôt le tronc, qui, lui, a quatre membres qui lui sont attachés on ne sait pas trop comment. Nous n'avons pas pleinement conscience de notre tête comme liée à la colonne vertébrale comme le sont les bras et les jambes. La tête et les membres ne font-ils pas corps ? Ne sont-ils que des sortes d'appendices ?

Aussi nous ignorons qu'il serait possible d'augmenter nos capacités intellectuelles en découvrant d'abord comment nous nous orientons dans l'espace, comment nous organisons les mouvements de notre corps. Il ne nous vient même pas à l'idée qu'en améliorant la vitesse et la précision des commandes nerveuses entre le cerveau et les muscles nous améliorons aussi le fonctionnement du cerveau.

Et nous ne faisons pas non plus le lien entre notre corps et notre tête en tant que centre « métaphorique » de nos émotions et de nos souvenirs. Nous admettons bien qu'il nous faut du temps et de la maturité pour savoir « ce qui se passe dans notre tête », nous passons notre vie à nous interroger à ce sujet. Mais notre corps qui n'est pas moins mystérieux, qui n'est pas moins « nous-mêmes », qui est en fait indissociable de notre tête, notre corps n'est l'objet que de questions superficielles et mal posées.

La rigidité de notre corps, les restrictions qu'elle nous impose, nous les ressentons jusqu'au malaise et parfois jusqu'à la souffrance. Seul cependant, il nous est pratiquement impossible de nous analyser et de connaître les causes réelles de ce malaise. L'origine en est masquée par un détail qui retient toute l'attention : un ventre proéminent, une épaule plus haute que l'autre, un orteil qui fait mal... ou bien on est « nerveux », insomniaque, on digère mal. Parfois un seul arbre nous cache la forêt.

Ainsi le désir profond d'un sujet qui vient « faire de la gymnastique » correspond-il rarement à la demande exprimée. Examinons les demandes les plus courantes : *perdre son ventre, « s'exercer » car la vie sédentaire fait qu'on est mal dans sa peau, se mettre en forme pour les vacances.*

Perdre son ventre

Si les gens se fixent sur leur ventre, c'est qu'ils ne voient que lui. Littéralement. Les yeux humains sont ainsi placés que le regard se porte devant soi et sur le devant du corps. Dès que le ventre est un peu saillant il est vu, et très souvent, qu'il soit gros ou pas, il est vu comme en trop.

Pourquoi ? Revenons à H. qui voulait perdre un ventre qui n'existait, si j'ose dire, que dans sa tête. Nous avons vu comment son corps se révoltait contre l'éducation inculquée par sa mère et comment, par son attitude envers sa fille, H. reniait sa propre maternité. Ventre ne veut-il pas dire pour elle « mère » et ne veut-elle pas en fait se débarrasser de l'influence de sa mère et de sa présence en elle-même ?

Ne cherchons pas trop à tirer des conclusions. Mais ne nous empêchons pas non plus de poser des questions. Surtout quand on sait que des milliers de femmes ne rêvent que de « raboter » leur ventre. Elles voient leur ventre rond de nature comme un ventre gros. Au nom de la mode, disent-elles, elles sont prêtes à tout pour avoir le ventre que par définition elles ne peuvent pas avoir : un ventre de garçon.

Quant aux hommes, ils sont souvent humiliés d'avoir un ventre « de femme ». Ne se souhaitent-ils pas plats pour ne voir en baissant leurs yeux que leur sexe dressé ?

Mais cette image plate tant désirée, il se peut qu'elle corresponde à nos peurs enfouies, mais aussi à la réalité des limites de nos perceptions. Les expériences très intéressantes de Paul Schilder et que j'ai souvent fait pratiquer à mes élèves, indiquent que nous nous voyons en deux dimensions et non pas trois.

L'expérience consiste à demander à la personne de se décrire comme si elle était en face d'elle-même et se voyait donc de l'extérieur. Suit la description d'une image fixe, sans poids et sans volume, tel le reflet dans un miroir mal éclairé ou une photo un peu floue et souvent, pas très récente. Ainsi, en nous voulant plats, nous chercherions à correspondre à notre perception visuelle et limitée de nous-mêmes. Une perception approfondie ne mènerait-elle donc pas vers le corps épanoui correspondant ? Pour connaître notre « capacité », notre « contenance », ne faut-il pas nous considérer en volume ?

Centre de gravité du corps, point de convergence de ses axes, centre vital où la nourriture est convertie en énergie, premier lien, par le cordon ombilical, avec la vie, le ventre ne semble respecté que par les Orientaux.

En Occident, notre centre est devenu cible... de notre mépris. Nous considérons la tête comme haut-lieu du corps. Suivent le cœur, les poumons, la partie dite « noble ». Et puis il y a les viscères, le ventre, les organes génitaux et ce nerf nommé « honteux » qui les innerve : la partie inférieure. Autant nous sommes fiers d'avoir des pensées et des sentiments élevés, autant nous préférons ignorer nos sensations basses. Nous supportons mal d'avoir à reconnaître notre ventre quand il se montre à nous ou quand il se fait sentir, notamment par la douleur. Je me souviens des conseils d'un professeur de « maintien » que nous avions en pension : « Lorsque au cours d'un dîner vous êtes pris de coliques ou autres maux de ventre, il est préférable de sortir de table en portant la main au front, laissant croire à une migraine. »

Troubles digestifs, constipation, ulcères, on n'en finirait pas d'énumérer les maladies psychosomatiques qui se situent dans « la partie inférieure ». Nous sommes conscients de notre ventre parce que nous le voyons et aussi parce qu'il nous fait souffrir. Car la vue et la souffrance sont les deux principaux moyens de perception de ceux qui n'ont qu'une conscience partielle de leurs corps.

Toutes ces considérations ne veulent pas exclure cependant le fait qu'il existe des ventres véritablement difformes et flasques, et la volonté valable de les réduire et de les affermir. Mais comment fait-on ?

On pédale en l'air, on fait des « ciseaux », des

pompes ». En s'acharnant à travailler les seuls muscles abdominaux – ah les abdos ! – en ne voyant qu'eux, en ayant donc une vision fragmentaire du corps, on ne réussit le plus souvent qu'à s'endommager la région lombaire. Bien sûr, à force de pédaler des centaines de fois vous pouvez arriver à avoir un ventre dur. Mais dans la mesure où vos exercices vous forcent à cambrer le dos qui, lui, pousse le ventre en avant, vous aurez un *gros* ventre dur. De plus, sa dureté ne sera durable qu'à condition de ne pas vous arrêter de vous « exercer », donc de ne pas arrêter de vous faire mal au dos. Pourquoi ?

Parce que vous n'avez conscience que de l'effet – un ventre flasque – sans chercher plus loin sa cause. En fait, ce n'est pas du tout votre ventre qui mérite votre attention. Ce qui est urgent, c'est de faire lâcher les contractures de votre dos. C'est seulement après avoir délié les muscles de votre dos que vous verrez votre ventre s'aplatir. Dans le chapitre suivant, il y aura des explications plus longues au sujet du dos, cette partie de vous-même qui vous est inconnue, qui échappe à votre regard donc à votre contrôle, cette partie que les autres voient sans que vous sachiez ce qu'elle révèle de vous.

Mais commencez dès maintenant à comprendre l'interdépendance des muscles de devant et de derrière en faisant cette petite expérience. Mettez-vous debout, les pieds parallèles et soigneusement joints, gros orteils se touchant, faces internes des talons aussi. Vérifiez que les pieds soient bien axés par rapport au milieu du corps.

Laissez tomber la tête en avant. Le sommet du crâne doit conduire le mouvement, faisant que la nuque s'incline et que le menton est près du sternum. C'est

« … Vous aurez un *gros* ventre dur. »
Picasso, *l'Haltérophile* ; © SPADEM, Paris, 1976.

facile à dire, mais vous verrez que ce mouvement élémentaire n'est pas facile à accomplir. Ou la tête tout simplement n'obéit pas et ne tombe pas du tout ou bien la nuque n'arrive pas à sortir d'entre les épaules. Ou, si la nuque arrive à se ployer ainsi que le fait le col d'un cygne ou d'un cheval, il s'ensuit des tiraillements ou même de véritables douleurs dans tout le dos.

Si vous arrivez à faire incliner votre nuque, laissez faire tout le haut du dos. Les bras doivent pendre en avant comme ceux d'un pantin. Et voilà que les pieds veulent s'écarter. Pourquoi ? Pour rattraper l'équilibre, dirait-on. Mais il y a une explication plus juste qui sera donnée plus tard. Pour le moment tenez les pieds ensemble. Et continuez de descendre. Mais ne vous forcez pas du tout, ne faites pas de va-et-vient pour pouvoir aller plus loin. Simplement laissez-vous descendre comme si tout le dos était lentement entraîné par le poids de la tête.

Voyez jusqu'où tombent vos mains pendantes. Hauteur des genoux ? Hauteur des mollets ? Hauteur des chevilles ? Jusqu'au sol ? Dans le cas où les mains touchent le sol, regardez bien les genoux ; les yeux sont bien placés pour le faire. Il y a bien des chances pour que les genoux soient tournés l'un vers l'autre. Les voilà complètement en dedans ! Examinez les pieds. Les gros orteils s'écartent, accentuant un éventuel « hallux valgus » ou oignon.

Les paumes des mains sont au sol, à plat, bien dans l'axe du corps ? Les genoux sont joints, tendus, et tournés vers l'extérieur ? Les jambes sont droites, genoux à l'aplomb de l'astragale ? Mais la tête ? Elle est lâchée, pendante ? Alors bravo ! Je suis certaine que votre ventre est plat, musclé, solide et que toute votre musculature postérieure est souple, détendue.

Mais peut-être avez-vous abandonné depuis longtemps parce que vous avez tout de suite découvert que vous êtes « trop court » de 20 ou de 30 centimètres. Peut-être vous êtes-vous dit : « Je ne suis pas souple. Et alors ? »

Alors la raideur que vous ressentez dans les jambes est celle de la musculature postérieure dans sa totalité, depuis l'arrière du crâne jusqu'au-dessous des pieds. Ce n'est pas de devant que vous êtes « trop court », mais de derrière. Les déviations des genoux et des articulations du pied en sont la preuve. Les os se placent de biais lorsque les muscles sont raccourcis et les articulations se déforment lorsque ce raccourcissement se transforme en raideur permanente. Ce raccourcissement de toute la musculature postérieure est la cause de ce ventre sorti que vous n'aimez pas.

La tension de l'arrière de la cuisse est la cause de ce devant de cuisse mou et cotonneux que vous n'aimez pas non plus (sans beaux quadriceps, vous n'aurez pas non plus un beau port de tête). Et la rotation interne des genoux est la cause de ces paquets graisseux aux hanches que tous les massages ne peuvent dissoudre que de façon temporaire. Si vous êtes mou devant, c'est que vous êtes trop tendu derrière.

Ces conclusions vous surprennent peut-être, mais je m'expliquerai plus longuement dans le chapitre suivant. Je crois cependant que vous avez déjà commencé à comprendre que les exercices classiques pour muscler les cuisses ou le ventre vont à l'encontre du résultat escompté. Vous voyez que vous ne pouvez pas travailler séparément la partie du corps qui semble en avoir besoin. Au contraire. Le « défaut » n'est que l'effet d'une cause qui se situe ailleurs et qui est souvent cachée parce qu'elle est, littéralement, derrière vous.

Vous percevoir d'une manière fragmentaire vous laisse donc aussi vulnérable qu'une autruche et vous prive de la possibilité de réaliser toutes les ressources de souplesse et de beauté résidant dans votre corps qui est, que vous le sachiez ou non, une unité indissoluble.

En palpant vos muscles et en prenant le temps de vous rendre compte de ce que vous sentez, vous avez commencé à connaître votre corps mieux qu'en comptant sur vos seuls yeux. Peut-être cette petite explication de l'organisation et de la symétrie du corps vous aidera-t-elle à mieux comprendre le vôtre.

J'avoue que c'est grâce à un dessin d'un bonhomme (ou d'un arbre) qu'a fait mon fils de sept ans que j'ai bien compris l'analogie entre membres supérieurs et membres inférieurs. Ainsi, nous avons un os au bras (l'humérus, avec une tête humérale qui s'articule à l'omoplate) et un os à la cuisse (le fémur, avec une tête fémorale qui s'articule à l'os iliaque du bassin). L'avant-bras et la jambe ont 2 os chacun. La main est faite de 27 os et toutes les articulations correspondantes, qui lui permettent une très large gamme de mouvements d'une merveilleuse précision. Le pied est fait de 26 os et toutes les articulations correspondantes qui, normalement, lui permettent des possibilités presque tout aussi nombreuses. (Mais combien d'entre nous ont les mains raides, « maladroites », et les pieds qui semblent coulés dans un seul bloc, des piédestals plutôt ?) Ainsi comme font les branches et les racines d'un arbre, les extrémités du tronc humain vont en se ramifiant, en s'affinant.

Boîte crânienne, *cage* thoracique, *bassin* ont en

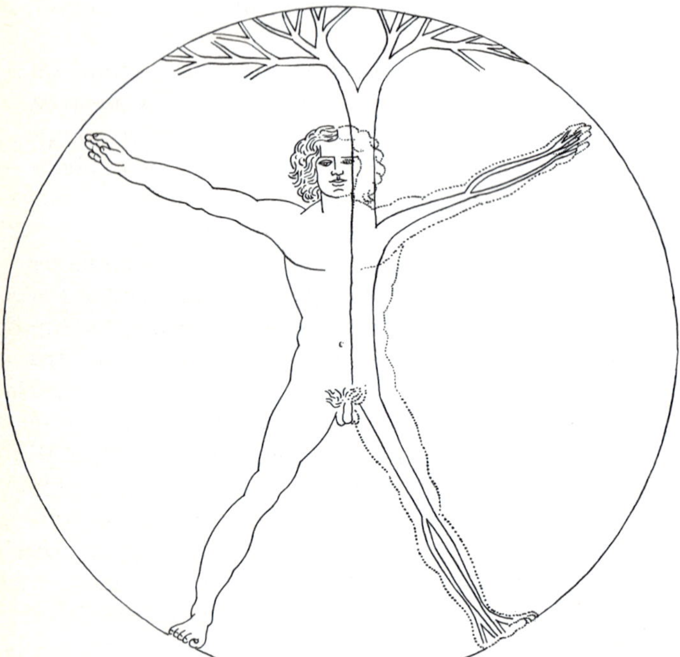

commun non seulement leurs noms de « récipients » mais le fait d'être tous les trois articulés à la colonne vertébrale.

Et la colonne vertébrale ? Quel mystère pour la plupart des gens ! On peut savoir qu'on a 33 vertèbres parce qu'on se souvient de l'avoir lu ou entendu. Mais quand on demande à quelqu'un de s'allonger à plat dos et de dire combien de vertèbres il sent contre le sol, la réponse va, le plus souvent, de deux à une douzaine. Nous oublions que la colonne vertébrale commence au crâne, que la première vertèbre (atlas) le soutient. Et que la nuque et ses 7 vertèbres font partie de la colonne. La région dorsale avec ses 12 vertèbres où s'articulent les 12 paires de côtes est aussi souvent ignorée, à moins que quelques vertèbres, plus saillantes, ne se fassent douloureusement sentir. La région lombaire semble la mieux connue, certainement parce qu'on y a souvent mal. Mais elle est généralement en arc de cercle et il n'est pas question de sentir les 5 vertèbres reposer au sol. Le sacrum, oui, repose au sol. On se trouve même en équilibre douloureux et instable sur le sacrum. Mais le minuscule coccyx, il n'en est question que si l'on fait une « chute sur le coccyx ». Il est pourtant très souvent malmené et se trouve dans des positions bizarres – en hameçon, en tire-bouchon – qui affectent le reste de la colonne.

Rares sont ceux qui se rendent compte des ressemblances entre leur tête et leur bassin, arrondis tous deux et capables de s'enrouler harmonieusement, l'un vers l'autre, toutes les épineuses apparentes... si aucune zone morte ne les en empêche.

Parfois ceux qui ont commencé à travailler leur corps prennent peur (eux seuls savent pourquoi) et démissionnent : « D'accord. J'ai une perception fragmentaire de mon corps. Tant pis. Ce n'est quand même pas comme si j'avais une maladie. »

Je ne les contredis pas. Je ne suis pas là pour faire de la persuasion ou pour les enseigner contre leur gré. Mais parfois j'ai envie de leur dire que si, justement, la perception partielle du corps ressemble à une maladie... une maladie mentale.

Ce que nous appelons chez l'être normal la fragmentation des perceptions corporelles peut devenir pathologique. Non seulement le malade n'a pas conscience de son corps comme une unité, comme un lieu précis et homogène, mais il perçoit les parties de son corps comme morcelées, comme physiquement séparées les unes des autres. Ainsi, assis dans son fauteuil, il peut pousser un cri de douleur parce que son pied vient d'être « écrasé par une voiture place de la Concorde », ou bien il peut demander des cérémonies funéraires pour son bras qui serait « mort pendant son sommeil ».

Il est certain que celui qui n'a pas conscience de son corps comme une totalité ou dont le corps comporte de nombreuses zones mortes n'est pas forcément un schizophrène en puissance. Mais il est certainement un malade en puissance dans la mesure où il néglige certaines parties de son corps parce qu'elles n'existent pas pour lui, abuse des autres par compensation et bloque la libre circulation d'énergie nécessaire à son bien-être.

Mais le plus grave peut-être est que sa maladie naissante, sournoise et souvent insoupçonnée, est contagieuse. Ses proches – ses enfants en particulier – sont les plus vulnérables. Combien de déformations – épaules voûtées, têtes penchées, cambrures excessives, démarches en canard – que nous préférons croire héréditaires, sont dues, en fait, au mimétisme de l'enfant ? Refuser de prendre conscience de son corps, n'est-ce pas démissionner d'une responsabilité bien plus grande que celle que nous avons envers nous-mêmes ?

Mais ce n'est pas seulement ceux qui ont conscience de souffrir de petits malaises courants qui abandonnent leur travail corporel. L'abdication la plus dramatique de mon expérience fut celle de N., une femme de cinquante ans. Elle souffrait d'une très sévère déformation de la colonne vertébrale qui lui valait une grosse bosse, de pénibles troubles digestifs, des jambes violacées, des yeux bouffis, des migraines fracassantes qui l'obligeaient à s'aliter. N. arrêta notre travail au moment même où il devenait évident qu'elle pouvait guérir.

Depuis le début, elle semblait me défier d'améliorer sa condition. Mais en même temps, elle se comportait comme si elle avait déjà ou avait toujours eu un corps normal. Le regard détourné, le ton indifférent, elle ne parlait que de la mode, de ses nouvelles acquisitions vestimentaires, de ses soirées mondaines. De son corps, elle n'avait rien à dire. Il n'était pas un sujet ; il n'était pas le sujet.

Je la traitais avec la méthode Mézières dont je parlerai longuement dans le chapitre suivant. Pour l'instant disons simplement que c'est une méthode naturelle qui exige du malade la conscience de son corps, sa coopération totale. Mais N. semblait absente de son corps, au point de ne jamais admettre qu'elle avait mal, même quand je savais bien que mon action sur son corps ne pouvait être qu'extrêmement douloureuse. En raison de la gravité de ses déformations et du manque de participation de N., je fus obligée de prendre une assistante pour essayer de remplacer en quelque sorte la présence de N. elle-même.

Après un an de travail hebdomadaire, nous avons pu rétablir une circulation sanguine à peu près normale dans les jambes, donner de la vie à la peau sèche et écailleuse du dos, effacer les troubles digestifs et réduire l'acuité et la fréquence des migraines. A chaque étape de ses progrès, N. devenait plus agressive. On aurait dit qu'elle était fâchée contre son corps parce qu'il coopérait malgré elle, parce que dans la lutte pénible que nous engagions chaque semaine, son corps était de « mon » côté plutôt que du sien.

A la fin de la deuxième année de traitement, il devenait évident que les courbures très exagérées de la colonne se modifiaient. Elle avait grandi de 1,5 centimètre. Quand elle me racontait qu'elle avait été obligée de faire reprendre ses vêtements, elle avait un ton de reproche. Comme quand elle me disait que je lui faisais « perdre » deux heures sur l'autoroute pour chaque heure qu'elle passait chez moi.

Puis il y eut une séance où elle prit un tournant décisif. Son corps cédait à nos efforts ; nous arrivions même, ne serait-ce que pendant un instant, à le tenir droit. Dans ma joie, je lui annonçais que nous étions sur le point de récolter les fruits de notre travail, que, dès les prochaines séances, les transformations seraient visibles, indéniables. Cet « encouragement » eut, je crois, l'effet contraire. En tout cas, le lendemain elle me téléphona pour me dire qu'elle ne viendrait plus, qu'elle était trop prise, et puis ces deux heures de route...

Longtemps j'ai essayé de comprendre. Je me suis dit

que le conflit était sien, qu'il avait lieu à l'intérieur d'elle-même et que je n'y étais pour rien. Mais je me sentais concernée, frustrée, fautive même. Comme si j'avais été une intruse dans une maison hantée par des fantômes jalousement défenseurs de leurs pouvoirs. Je me suis posé beaucoup de questions sur le rôle que je jouais dans cette bataille obscure et ambiguë qu'il fallait qu'elle perde pour triompher. Bataille dans laquelle elle semblait me situer non pas comme un allié, mais comme un adversaire qu'elle ne pouvait « avoir » que par ruse.

« Méfiez-vous du corps, m'a dit il y a longtemps un psychanalyste qui avait assisté à un de mes cours. Nos corps appartiennent au domaine de la mère. En abordant l'être par le corps, vous entrez directement dans les couches archaïques de la personnalité. »

Transfert, contre-transfert... les étapes du rapport entre patient et psychanalyste sont codifiées ; il faut passer par là. Mais dans le travail du corps, dans ce travail essentiellement non verbal, quels mots utiliser ? Quel code est approprié, sinon celui – secret, indicible – des sensations ?

S'exercer parce que la vie sédentaire fait qu'on se sent mal dans sa peau

Nous avons déjà vu comment nous avons une perception partielle de notre corps. Nous comptons principalement sur nos yeux, sur nos sensations de douleur et sur notre toucher pour nous informer de nous-mêmes. Ayant censuré nos sensations, ayant diminué à nos yeux nos dimensions réelles, nous avons l'impression de ne pas exister suffisamment.

Plus nos corps nous sont étrangers, plus nous restons étrangers à la vie. N'ayant pas la Jouissance de notre corps, nous ne pouvons pas en jouir. Nous manquons de confiance ; il y a tant de choses que nous n'osons pas faire. Nous nous en croyons incapables et très souvent nous avons raison.

Insatisfaits de nous-mêmes, que faisons-nous ? Au lieu d'approfondir la connaissance de notre corps et de le percevoir de l'intérieur, nous ajoutons des éléments sur sa surface. Des vêtements notamment. Nous portons un grand soin à en faire un choix judicieux, flatteur, qui projette de nous une image satisfaisante, qui détourne l'attention des défauts de notre corps et les compense. Au lieu de travailler notre corps pour développer son élégance naturelle, nous comptons sur le travail des stylistes pour nous livrer une élégance prêt-à-porter. Plutôt que d'investir dans notre corps, nous investissons dans nos vêtements. Plutôt que de porter nos vêtements, ce sont nos vêtements qui nous portent, qui nous soutiennent, et qui sont chargés de donner une apparence d'unité, un style.

Muscles noués, mouvements étriqués, nous nous sentons comme à l'étroit dans notre corps. Alors nous cherchons à le déborder, à le prolonger pour qu'il nous renvoie une image plus heureuse. Nous le faisons quand nous sommes seuls, mais surtout nous élaborons notre image de nous-mêmes pour paraître en public. Car notre image de nous-mêmes c'est aussi et parfois surtout dans le regard de l'autre que nous la trouvons. Ainsi pour être « regardable », nous portons des talons hauts, des coiffures qui dépassent la forme de la tête, des bijoux qui attrapent la lumière, des faux cils, des faux seins des faux sourires aux couleurs synthétiques. Nous redessinons la forme de notre bouche ;

nous faisons des effets de voix ; nous adoptons la démarche de telle ou telle vedette de cinéma ; nous promenons des chiens choisis consciemment ou non pour souligner notre image de nous-mêmes ou des enfants habillés et « dressés » pour servir le même dessein. En cherchant de mille manières à animer l'extérieur de notre corps, nous arrivons souvent à nous éloigner encore plus du centre.

« L'image qui n'exprime rien n'est pas belle », dit Élie Faure. Quand l'image de notre corps n'exprime qu'une autre image – celle empruntée au cinéma ou à une revue de mode – elle ne peut pas avoir de beauté véritable car elle est éloignée de la réalité, d'une expression authentique. C'est d'ailleurs cette expression-là que nous nous efforçons de dissimuler.

Mais c'est justement dans cet effort pour nous cacher, nous protéger, que nous révélons toute notre vulnérabilité. Car l'image que nous croyons projeter n'est pas forcément celle reçue par autrui. Entre notre intention et l'effet que nous produisons réellement, il y a souvent une faille. Dans notre masque imparfait, l'autre ne voit que notre besoin de porter un masque, notre besoin de nous représenter autrement que nous sommes. Nous croyons créer une illusion, mais c'est nous qui vivons dans l'illusion d'être vus comme nous désirons l'être.

Effectivement, derrière nos accoutrements, nous restons toujours mal dans notre peau. Ne sentant pas notre corps, nous disons que nous ne nous sentons pas bien. (Ce double sens révélateur existe dans plusieurs langues occidentales.) Nous nous plaignons d'avoir avec les autres des rapports superficiels. Nous les trouvons secrets, inaccessibles. Mais en fait nous ne les percevons pas mieux que nous nous percevons nous-mêmes. Si nous n'arrivons pas à « toucher le fond » de l'autre, n'est-ce pas que nous flottons à la surface de notre propre réalité ? Si nous reprochons à l'autre de ne pas savoir ou vouloir se mettre à notre place, n'est-ce pas aussi que notre « place » est mal définie, notre « espace » mal occupé, que nous sommes en fausse position par rapport à nous-mêmes ?

Souvent, nous attribuons notre malaise à notre vie sédentaire. Et bien que la source de notre rigidité et de notre manque de sensations remonte beaucoup plus loin, nous n'avons pas tout à fait tort.

L'immobilité, effectivement, est un grand obstacle à la perception du corps et nous portons en nous des parties de notre corps qui n'ont pas bougé depuis des années. Plus nous avons de zones mortes, moins nous nous sentons vivants.

Ce n'est qu'à travers l'activité que nos perceptions sensorielles peuvent se développer. Mais pas n'importe quelle activité. Pas l'activité mécanique, la répétition d'un mouvement des dizaines de fois. Cela ne sert qu'à exercer notre obstination, qu'à nous abêtir. Le mouvement ne nous révèle à nous-même que lorsque nous prenons conscience de la manière dont il se fait (ou ne se fait pas).

Le cas de B., un des premiers hommes dans mes groupes, illustre bien plusieurs aspects de ces problèmes. A ma question : « Pourquoi voulez-vous venir au cours ? », cet homme d'une quarantaine d'années répondit : « Parce que je me sens mal dans ma peau. » Cela dut lui sembler un peu court car il ajouta : « J'ai de temps en temps un lumbago. »

Allongé sur le sol, il tambourinait nerveusement sur son estomac. Son malaise se lisait tout le long de son corps qui avait un contact minimum avec le sol. Les muscles tendus derrière ses jambes laissaient un creux derrière ses genoux. Des fesses aux épaules, il était posé sur le sacrum et les omoplates. Je fus surtout frappée par la position de sa tête : le menton pointé vers le plafond, la nuque en arc de cercle. Je demandais de rouler la tête sur le sol de droite à gauche, de gauche à droite, en essayant de sentir le poids de la tête sur le sol. Peine perdue. Il ne put la bouger ni sentir son poids. « Elle est vide », dit-il. Sa tête ne pouvait se déplacer qu'en se soulevant. Le mouvement semblait douloureux, tellement les muscles de la mâchoire et de la nuque étaient contractés.

Je demandai d'étendre les bras et de déplier les doigts. Des fourmillements « insupportables » arrivèrent spontanément dans ses mains. Je demandai de hausser les épaules. Les siennes bougeaient à peine, bien qu'il semblât faire de gros efforts. « Elles sont en bois », dit-il. Il raconta qu'il avait été élevé dans une famille où on interdisait aux enfants de hausser les épaules.

Nous avons travaillé lentement, longuement les épaules. B. fermait les yeux ; le visage grave, il s'appliquait à faire son voyage à rebours à travers le temps. Un sourire apparut sur son visage lorsque, vers la fin de la séance, je demandai de faire tourner les deux épaules. Si faible qu'ait été le mouvement, il sentit la différence. « Mes épaules semblent huilées maintenant », me dit-il.

Ce fut un tout premier pas dans un très long travail où B., qui au départ n'avait conscience que d'un malaise général et d'un lumbago occasionnel, découvrit à travers des mouvements précis que tout son corps était raide, insensible. Il se mit même à en chercher les raisons.

Au cours d'une séance individuelle, alors que nous remarquions ensemble l'extrême limitation des mouvements de ses bras en largeur, dus aux rétractions de ses pectoraux, B. me raconta qu'il avait toujours été honteux de son manque de carrure. Depuis toujours il ne portait que des vestes rembourrées aux épaules. Il se souvenait dans sa jeunesse d'avoir été au bord de la piscine d'une villa par une journée de canicule et personne n'avait pu le décider à ôter sa veste de tweed. Amoureux de la fille de ses hôtes, il ne voulait pas qu'elle vît ses épaules.

Dès qu'il prit conscience de ses tensions, il ne sut plus comment porter sa tête. Il ne lui était pas possible de conserver sa raideur d'autrefois, mais il était encore loin d'avoir trouvé son aisance naturelle. « J'ai l'impression d'avoir le cul entre deux chaises », dit-il. Quant aux fourmillements de ses mains, il attribua cette manifestation nerveuse au fait de vouloir se cacher, mais d'être bien obligé de se servir de ses mains qui, par leur mouvement dans l'espace, attiraient l'attention sur sa personne. Quand elles pouvaient rester inertes, il n'en était pas trop conscient. Mais quand il était appelé à mettre ses mains en extension, elles fourmillaient de protestation.

Certes la prise de conscience est un premier pas vers le mieux-être, mais elle n'apporte pas le confort dans l'immédiat. Le travail peut être long et pénible. « Le plaisir et la joie de vivre sont inconcevables sans lutte, sans expérience douloureuse et sans conflits désagréables avec soi-même », dit Reich[1]. Le travail avec B. n'est pas encore terminé mais, dit-il, « dans ma vie, je fais de moins en moins semblant ».

1. W. Reich, *op. cit.*, p. 160.

Dans mon travail, je ne me fais pas l'interprète du comportement, des découvertes des autres. Et il est important qu'eux ne cherchent pas cette interprète en moi. Il arrive cependant que mes élèves m'informent qu'après avoir commencé à habiter leur corps, ils se sentent prêts à entreprendre une psychanalyse. D'autres, qui sont déjà en analyse, m'annoncent parfois qu'ils ont pris un tournant ou que leur analyse, qui piétinait depuis des mois, arrive à sa fin.

En tout cas, l'existence simultanée de troubles psychiques et physiques chez chaque être est indéniable. Mais c'est à chacun à rétablir ce lien à sa manière. Je ne peux que lui indiquer un des chemins : la prise de conscience de son corps.

Mal dans notre peau, nous nous retirons derrière les apparences, mais aussi nous nous retirons dans nos appartements. Ne nous sentant pas « chez nous » dans notre corps, nous comptons sur un décor (dé-corps) familier pour nous abriter. Nous connaissons tous des personnes « sûres d'elles » à condition de rester derrière leur bureau, « brillantes en société » à condition de recevoir chez elles.

Souvent ceux qui viennent faire un travail corporel pour la première fois vivent comme une rude épreuve le simple fait de se mettre en tenue inhabituelle, d'être pieds nus, de s'étendre à même le sol, de se trouver dans une pièce qu'ils ne connaissent pas. Un des exemples les plus dramatiques fut celui d'un diplomate d'un certain âge, très courtois, habillé avec un extrême raffinement. Ayant revêtu un short de gymnastique immaculé, il s'allongea par terre, fut pris aussitôt de nausées, n'eut que le temps de courir aux toilettes. Par la suite, il me téléphona plusieurs fois pour me dire qu'il n'avait pas le courage de revenir et espérait que je l'excuserais. Il espérait aussi, je crois, que je lui expliquerais son comportement. Mais c'était son corps même qu'il fallait qu'il interroge à travers le travail que justement il n'osait pas entreprendre.

Notre éducation, les entraves que très tôt nous nous imposons pour nous épargner de la peine et du plaisir ne sont pas les seuls obstacles au développement de nos perceptions. L'environnement contemporain, l'architecture standard, jouent aussi leur rôle oppressif. Travaillant à longueur de journée et d'année à la lumière artificielle, nous ne pouvons pas compter sur la rotation du soleil pour nous donner des repères temporels. De plus, parce que la lumière ne circule pas et l'ombre non plus, notre corps n'est plus modelé par un jeu continuel de clair et d'obscur naturel. Notre relief, notre troisième dimension, notre présence dans l'espace sont aplatis, réduits. La lumière artificielle et toujours égale nous efface, nous écrase. Elle nous prive aussi de cette autre preuve de notre existence : notre ombre. Quant au mouvement naturel de notre corps vers le soleil, il est supprimé. Notre tropisme atrophié, nous perdons une partie de notre « naturel », de notre vie végétale et animale.

Traverser un vaste hall d'entrée où aucun objet n'est à l'échelle humaine fait que nous nous sentons diminués, que notre confiance est minée. Conçu pour accélérer le mouvement de la foule, l'individu seul n'y a pas sa place et s'oblige à modifier son rythme dans l'espace structuré d'un lieu de passage qui n'aboutit que sur un escalier ou un ascenseur.

L'exigence de rentabilité des immeubles récents veut que les escaliers se situent dans une colonne au milieu de l'édifice. En y montant nous n'avons donc aucune vue vers l'extérieur, aucune façon de nous situer dans l'espace. Nous perdons le Nord, littéralement. Mais aussi nous perdons le Sud. Si l'escalier est circulaire et les marches de dimensions et à distances égales, notre regard porté devant nous ne nous informe pas de notre arrivée vers les dernières marches. Presque inévitablement nous tâtons du pied ou nous trébuchons avant d'arriver au palier. Et notre incertitude ou notre maladresse conditionnent négativement notre comportement une fois arrivé à notre rendez-vous.

Quant aux ascenseurs, ils perturbent nos repères spatiaux, mais aussi, à cause de l'irritation vestibulaire, notre perception du poids du corps et du rapport entre la tête et le corps. Les impressions sont complexes mais, en bref, au début de la montée, nos jambes nous semblent plus lourdes. Au moment de l'arrêt, nous avons l'impression que notre corps continue à monter avant de redescendre. L'impression de légèreté au moment de l'arrêt s'accompagne de la sensation que le corps s'est allongé, comme si la substance pesante interne se détachait des pieds et voulait sortir par le haut. A la descente, le corps ne paraît pas seulement plus léger mais aussi plus long, comme si une partie de la tête ne suivait pas le mouvement et restait à sa place. L'essentiel est que dans l'ascenseur notre unité corporelle est attaquée et que nous en subissons un effet psychique défavorable[1].

Lieux aliénants, conçus parfois peut-être dans une politique d'intimidation, nous sommes quand même appelés à y vivre. Et nous désirons, malgré tout, nous

1. Une description élaborée de ces sensations se trouve dans *L'Image du corps* de Paul Schilder (traduction François Gantheret et Paule Truffert), Paris, Gallimard, 1968.

y épanouir. La solution n'est-elle pas de considérer notre propre corps en premier lieu et comme le premier lieu de notre vie ? Habiter son corps d'abord, savoir organiser les mouvements de son corps de l'intérieur nous donne au moins la possibilité de nous libérer de l'intimidation des espaces organisés pour servir un dessein social. Se sentir bien dans son corps, n'est-ce pas avant tout pouvoir se sentir, admettre, percevoir et développer ses sensations ?

Se mettre en forme pour les vacances

Le sport : une panacée. Si nous n'en faisons pas, nous nous sentons coupables et nous nous promettons de nous y mettre au plus tôt. Pendant que nous en faisons, nous nous sentons parfois jeunes, vigoureux, en forme. Après, si nous sommes martyrisés par des courbatures, nous disons que nous n'étions pas assez entraînés ou que nous n'en faisons pas assez souvent. Nous ne cherchons pas plus loin l'explication de notre malaise... peut-être par peur de la trouver.

A une époque où le sport est devenu une Affaire et même un secrétariat d'État, il semble important de le contester. Il n'y a aucun sport dont la pratique soit bénéfique au corps dans sa totalité... à l'exception de la marche à pied. Non, je n'oublie pas la natation, que l'on persiste à croire un sport « complet » et même thérapeutique. Quant à notre sport national, porté à son paroxysme par le tour de France, il a un côté sympathique, de nets avantages écologiques... mais il est, en un mot, franchement nuisible à la santé !

Mais parlons d'abord de la natation.

Récemment j'ai eu la visite d'un ami américain,

titulaire d'une chaire d'anthropologie, passionné d'expression corporelle, spécialiste de « kinesics », la nouvelle science de l'analyse du langage corporel.

« Regarde-moi ça, me dit-il en tirant sur sa brioche. Pourtant je nage une heure par jour à la piscine universitaire. Et pas n'importe comment. Je chronomètre mon temps.

– Comment te sens-tu ?

– Mais très bien. Je ne suis pas malade.

– Tes épaules, ta nuque, la plante de tes pieds ?

– Mais oui, je te dis, tout ça va bien.

– Aucune tension dans tes muscles ?

– Tension ! Mais regarde donc mon estomac qui sort ! Tu ne vas pas me dire qu'il est tendu.

– Je vais te faire admettre une tension dont tu n'as pas conscience.

– Mais je te dis...

– Celle de ta mâchoire. Si tes muscles masticateurs n'étaient pas en état de tension, ta mâchoire pendrait grande ouverte, non ? A cette tension “naturelle” dont tu n'as pas conscience, se sont ajoutées au long des années une multitude d'autres tensions que tu ignores également. Regarde comment tu tiens tes bras. »

Tout à l'heure, il m'avait fait la démonstration du balancement décontracté des bras de sa démarche typiquement américaine. Et voilà qu'au repos la raideur de ses épaules et de ses bras – tenus très écartés du corps – était celle de n'importe quel conscrit français devant le conseil de révision.

Je le lui dis. Il commença à protester. Je lui demandai de joindre les pieds et de se pencher en avant, tête baissée, bras ballants. Il était « trop court » d'environ 50 centimètres.

« Tu vois, c'est mon estomac qui m'empêche...

– Mais, non... »

Il se met à transpirer abondamment. Le devant de ses cuisses tremble. Tout le long de son dos, comme il fallait s'y attendre, les muscles sont durs comme de la pierre. Il se relève, essoufflé : « Mais je t'assure, tous les jours je nage pendant une heure contre la montre.

– Et contre toi-même. Tes séances d'auto-compétition vont à l'encontre de ton bien-être. L'eau est un élément de jeu merveilleux. Elle apaise, elle détend, elle nous porte et nous fait oublier le poids de notre corps, et parfois aussi de nos soucis. On dirait qu'elle a le pouvoir de "dissoudre" nos rigidités. Mais si tu la transformes en champ de bataille, tu seras toujours perdant.

– C'est de la poésie, dit-il vexé.

– Alors voici de l'anatomie. Dans l'eau, nous retrouvons la position du serpent qui ne se sert que de ses muscles spinaux (qui s'insèrent sur sa colonne vertébrale) pour se propulser. As-tu déjà regardé des nageurs professionnels ? Sous chaque bras on voit une masse qui peut ressembler dans les cas extrêmes à une aile de chauve-souris. C'est la masse du grand dorsal. Chez ces nageurs-là, ce muscle est souvent si contracturé qu'il repousse la pointe de l'omoplate vers le dehors, en saillie sur le contour du thorax lorsque le bras est levé.

– Très bien pour la leçon d'anatomie, me dit-il. Et alors ?

– Alors tous les mouvements de natation – brasse, crawl, dos crawlé – sollicitent ce grand dorsal et les muscles spinaux. Mais si, *a priori*, c'est-à-dire *avant* d'apprendre à faire ces mouvements, ces muscles ne sont pas assez longs, assez élastiques – et c'est presque toujours le cas – nager les fait se contracter et se raccourcir davantage. Ainsi d'ailleurs que tous les autres muscles vertébraux. En nageant, donc, tu fais travailler les muscles de derrière, ceux précisément qui n'en ont pas besoin, ceux qui sont, au contraire, déjà surdéveloppés chez presque tout le monde. Et quand les muscles de derrière sont surdéveloppés, les muscles de devant ne peuvent être que sous-développés. Et ça, mon ami, ce n'est ni de la poésie ni de la politique, mais une vérité anatomique dont je peux te donner maintes preuves si tu veux entreprendre un travail corporel.

– Tu veux dire qu'au lieu de résoudre mon problème de ventre en nageant, je l'aggrave ?

– Précisément. »

Je lui conseillai de ne plus forcer son corps à faire des mouvements traditionnels et cela à des vitesses compétitives. La première chose à faire était de travailler à dénouer sa musculature postérieure, pour donner à son corps la possibilité de trouver une distribution plus juste de ses forces. Puis il s'agira de confier son corps à l'eau, d'être attentif aux sensations de son corps dans l'eau. Car c'est par ce que le corps sait tout naturellement – avant d'avoir subi un dressage – que le cerveau apprendra. Quant à la vitesse, quant à la beauté des gestes, elles viendront toutes seules et il n'y aura nul besoin d'une montre pour vous dire si vous devez ou non être satisfait de vous.

Reich considérait la bicyclette comme un piteux instrument masturbatoire. Mais il y a des reproches bien plus graves à lui faire... et il est grand temps de les faire. *La bicyclette n'a aucune des vertus thérapeutiques qu'on lui prête*. Pour en faire sans s'endommager, il faudrait un corps qui soit déjà dans un état d'équilibre et de robustesse exceptionnel. Pourquoi ? Parce qu'on ne pédale pas avec les jambes, mais avec *le dos*.

Il suffit de regarder un cycliste de profil. La nuque creusée (il faut bien qu'il lève la tête pour voir où il va), le dos rond, il fait travailler les muscles de la région lombaire... muscles déjà si contracturés, sans cesse sollicités par tous nos mouvements quotidiens. Par contre, le ventre est en complet relâchement. (Si vous avez des doutes, il suffit d'essayer et de vérifier vous-même. Inutile d'invoquer la hauteur du guidon ou de la selle, qui ne changent rien au mécanisme du mouvement.)

Ainsi, en faisant du vélo, vous faites travailler les muscles postérieurs qui sont déjà excessivement durs, ce qui rend leurs antagonistes, les muscles de devant, encore plus mous. Résultat : d'une part, une rétraction des muscles de la nuque et des « reins », et, d'autre part, une perte de tonicité des abdominaux et une compression de l'estomac qui peut engendrer des troubles digestifs (très courants chez les coureurs professionnels). Si vous vous acharnez (toujours pour votre bien), vous y gagnerez aussi des crispations des poignets et des mains.

D'ailleurs, pratiquement sans exception, les sportifs (et les danseurs aussi) déforment leur corps, et parfois monstrueusement, parce qu'ils n'en ont qu'une conscience partielle. Ne comprenant pas l'interdépendance des muscles et de leurs antagonistes, ne se servant pas des muscles les mieux appropriés à leurs efforts, ils puisent leurs forces où ils peuvent. Ils se forcent et forcément ils se font mal. Se forcer, se dépasser sont souvent d'ailleurs les règles du jeu. Que ce soit pour battre son rival ou son propre record, pour un sportif « se battre » finit le plus souvent par vouloir dire se punir.

Alors comment faire ? Si même les champions n'en sortent pas... La solution, la seule, ce n'est pas d'en finir avec le sport, mais de commencer au commencement, de commencer avec le corps et non pas avec le sport. C'est avant de pratiquer un sport qu'il faut acquérir une intelligence musculaire, sensorielle, respiratoire et vous en servir tous les jours et non seulement en vacances. Au lieu de vous enfermer dans des gestes appris, de céder au dressage, il faut laisser au corps et au cerveau la possibilité d'inventer les mouvements appropriés. C'est alors que vous vous découvrirez une aptitude pour tous les sports, que vous garderez non seulement le temps de votre jeunesse mais jusqu'à la mort. Quelle que soit l'activité, votre corps vous obéira... sans vous faire des « reproches » par la suite. « Plus le corps est faible, plus il commande ; plus il est fort, plus il obéit », a dit Jean-Jacques Rousseau.

Très récemment, je regardais un groupe de skieurs débarquant à la gare de la station. Le dos rond, le cou dans les épaules, les genoux qui se cognaient à chaque pas ou la démarche en canard pour éviter que les genoux eux, ne se cognent... avec de tels vices de forme « en civil », on pouvait se demander comment ils allaient pouvoir se tenir en équilibre une fois sur les pistes.

Souvent d'ailleurs ils ne tiennent pas. Mais parfois si. Non pas un équilibre véritable, mais un équilibre sans harmonie, précaire, et qui coûte cher à l'organisme tout entier car il est fait de multiples compensations musculaires. Ce sont ces skieurs-là, qui arrivent pourtant à aller vite et à mimer les figures classiques, qui souffriront par la suite de grande fatigue et de raideurs pénibles. Ils les trouveront d'ailleurs normales. Ils seront même fiers de leur douleur qu'ils voient comme un reçu pour tant d'énergie dépensée.

Et quand leurs contractures musculaires, une fois installées, amèneront des douleurs vertébrales et articulaires « chroniques », ils seront loin d'en soupçonner l'origine. Ils diront qu'ils sont tombés malades. Mais on ne tombe pas malade ; on y glisse et parfois lentement, longuement pendant des années d'abus et d'inconscience.

« J'ai pratiqué 19 sports », m'annonça avec un rien de défi dans la voix une femme d'une cinquantaine d'années. Elle semblait être venue me voir pour ajouter une vingtième discipline à sa panoplie. « J'ai une arthrose de la nuque, m'expliqua-t-elle. C'est l'âge. »

Je ne la contredis pas, mais lui demandai de s'allonger sur le dos. Les côtes écartées faisaient peine à voir. La cage thoracique était rigide, comme si elle était incapable d'expirer le trop-plein d'air de toute une vie d'inspirations forcées. Les pieds raides comme ceux d'un gisant, le menton, pointé en l'air, semblait figé dans un geste de surpassement d'elle-même. Je lui demandai d'écarter le cinquième orteil. Rien à faire. Je lui demandai d'écarter tous les orteils. Rien ne bougea. On aurait dit des orteils postiches.

Troublée mais méfiante, elle me demanda ce que cela peut bien faire de ne pas pouvoir mobiliser ses orteils (effectivement ces petits mouvements semblent peu de chose). Je lui expliquai que d'après cette « paralysie » des orteils, en particulier le 5e et le premier qui ne peuvent s'écarter de l'axe du pied, on peut déceler une raideur et un dysmorphisme de la jambe. De là on peut remonter à tout le corps car tout se tient.

La nuque est responsable de la jambe, la jambe du pied. En agissant sur le pied on agira sur la nuque.

La sportive s'assit et, les jambes étendues au sol, regarda ses pieds comme si elle les voyait pour la première fois. Je crois qu'à cet instant elle comprit beaucoup de choses d'un corps dont elle s'était servie moins bien qu'elle ne croyait. Je me permis de lui dire qu'elle avait tort d'imputer son arthrose de la nuque à l'âge, que ce n'est jamais le temps qui rigidifie, mais un usage inapproprié du corps. Je lui proposai un travail lent et régulier à travers lequel elle pouvait trouver une nouvelle aisance qui l'empêcherait de forcer son corps à lui obéir. Elle semblait ébranlée et me dit qu'elle me rappellerait plus tard à ce sujet.

Je ne l'ai jamais revue. Dans les mois suivants, elle m'a envoyé plusieurs jeunes athlètes, mais il semble qu'elle n'a pas eu le courage de remettre son propre corps, sa propre vie, en question. Parfois je pense à elle et je regrette pour elle car il n'est jamais trop tard pour offrir à son corps une halte. Cela demande un peu d'humilité mais on est largement récompensé par la joie du mouvement devenu juste, par le geste devenu plein, par la renaissance des sensations, par un corps libre enfin de vivre sa vraie vie.

« Tout trouble dans la capacité de ressentir pleinement son propre corps attaque la confiance en soi aussi bien que l'unité du sentiment corporel ; il crée en même temps le besoin de compensation », a observé avec tant de justesse Wilhelm Reich[1].

Pour compenser l'incapacité de ressentir notre propre corps, pour estomper le malaise parfois inconscient provenant de ses zones mortes, certains ont

1. W. Reich, *op. cit.*, p. 277.

recours à l'imitation. C'est ainsi que nous voyons ces stéréotypes du geste sportif qui ne sont que l'imitation plus ou moins adroite de tel champion. Il s'agit alors du dressage du corps, et non pas de la prise de conscience de mouvements que l'individu aurait lui-même trouvés et mûris en utilisant son cerveau comme ses muscles.

Mais quelle est cette satisfaction que l'on trouve dans l'imitation des « grands » ? N'est-elle pas la suite de celle qui consiste simplement à revêtir la panoplie du skieur ? Nos lunettes aux yeux, nos bâtons aux mains et nos skis aux pieds, notre image de nous-mêmes est agrandie, embellie, sinon approfondie.

D'ailleurs que ce soit une raquette de tennis, un club de golf ou un fleuret, les objets nous prolongent et font que nos gestes se prolongent dans l'espace. (Joindre un objet raide à un bras sans souplesse ne prolonge cependant que notre rigidité.) Quand nos gestes sont ceux de quelqu'un d'autre, nous devenons, le temps de l'imitation, l'autre en plus de nous-mêmes. Mais après ? Une fois nos skis posés et nos poses abandonnées, nous restons seuls... avec nos courbatures. Et avec cette tristesse, ce sentiment de déception que connaît le comédien dans sa loge, costume et maquillage enlevés, après la dernière représentation de la saison.

Le déguisement, l'imitation, nous les imposons aussi à nos enfants. Dans l'idée de leur faire du bien, nous leur faisons souvent du tort car nous ne percevons pas mieux leur corps que le nôtre. Nous reconnaissons mal l'authentique langage corporel de l'enfant – et surtout de nos propres enfants – parce que nous déchiffrons mal les messages de notre propre corps. Nous censurons nos propres gestes et attitudes et nous refusons de les voir dans autrui et surtout dans nos « doubles ». Nous n'exigeons pas que nos enfants soient fidèles à eux-mêmes mais à une image que nous choisissons pour eux et que nous leur imposons.

Que cette image soit fixe nous arrangerait bien, alors nous disons sans cesse à l'enfant : « Tiens-toi tranquille. » Mais pour l'enfant, se mouvoir est un besoin aussi fondamental que manger ou dormir. Son développement physique et intellectuel aussi en dépend. Car le mouvement, avant qu'il ne devienne automatisme, exige des coordinations neuro-musculaires et une activité cérébrale intense. Ainsi « l'agitation » des enfants est une recherche non seulement du monde extérieur mais aussi de leurs propres possibilités[1]. Quand nous sanctionnons l'activité physique d'un enfant, nous réduisons son champ d'expérience, nous entravons le développement de son intelligence et nous l'encourageons à réprimer l'expression naturelle de ses émotions. En donnant à cet imitateur de génie qu'est l'enfant l'exemple de mouvements réduits ou rigides, nous lui apprenons à endormir ses sensations et nous lui tendons le piège de la maladresse et du manque de confiance d'où il aura beaucoup de mal à sortir une fois adulte.

Nous attendons avec impatience que nos enfants

1. Parfois cependant la perpétuelle agitation des jeunes enfants « qui ne tiennent pas en place » ne démontre ni une curiosité irrépressible ni une instabilité de caractère, mais une sévère contracture de la musculature postérieure dont l'enfant essaie de se libérer sans pour autant en avoir conscience. Le comportement corporel déterminé par la raideur de la musculature postérieure sera exploré en profondeur dans le chapitre suivant.

puissent s'exprimer verbalement ; nous les félicitons de parler comme des adultes car ils peuvent ainsi nous protéger de la vérité brute qu'ils essayaient continuellement d'exprimer avec leur corps. Nous sommes rassurés quand enfin ils peuvent, comme nous, se servir du langage verbal comme d'un écran pour cacher leurs vrais désirs, pour modifier leurs élans naturels, pour maîtriser leurs sensations. « Parle-moi. Dis-moi ce que tu as sur le cœur. Si tu ne me parles pas, comment veux-tu que je sache ce qui ne va pas », disent les parents pendant que leur enfant émet des signaux corporels de détresse qu'ils ne voient pas.

Colette a fait ces observations sur les enfants à la plage. L'époque est révolue ; le problème demeure. « Pour une jolie enfant en pomme, joufflue et dorée, d'aplomb sur des mollets durs, que de petits Parigots, victimes d'une foi maternelle et routinière : "La mer, c'est si bon pour les enfants !" Ils sont là, à demi nus, pitoyables dans leur maigreur nerveuse, gros genoux, cuissots de grillons, ventres saillants... leur peau délicate a noirci, en un mois, jusqu'au marron cigare ; c'est tout, et ça suffit. Leurs parents les croient robustes, ils ne sont que teints. Ils ont gardé leurs grands yeux cernés, leurs piètres joues. L'eau corrosive pèle leurs mollets pauvres, trouble leur sommeil d'une fièvre quotidienne, et le moindre accident déchaîne leur rire ou leurs larmes faciles de petits nerveux passés au jus de chique[1]... »

Il n'y a pas encore un secrétariat d'État à l'Expression corporelle, mais parfois il semble que ce ne sau-

1. Colette, *Les Vrilles de la vigne*, Paris, Le Livre de poche, p. 221.

rait tarder. Au lieu de faire du sport ou de la gymnastique, on se rue sur « l'expression corporelle », discipline ambiguë se situant quelque part entre la danse interprétative et le psychodrame.

Mais si *a priori* nous ne connaissons pas les usages de notre corps, si notre répertoire de gestes et de mouvements ne comporte qu'une fraction des possibilités dont l'être humain est capable, si jusqu'alors nous ne nous sommes servis de notre corps que pour réduire, trahir ou nier nos sensations, alors « l'expression corporelle » ne peut être, comme le sport, qu'imitation, compensation, dressage. Ainsi l'on voit dans les spectacles ou les classes d'expression corporelle une sorte de travesti, une représentation mélodramatique « vieux style » d'idées reçues, et pire encore, d'émotions reçues. (A se demander si « reçue » n'est pas l'antonyme de « vécue ».) Au lieu d'imiter des champions sportifs, on imite des acteurs ou des danseurs ou des personnages représentés en peinture ou en sculpture. Non, décidément, l'expression corporelle pratiquée par des adultes qui n'ont de leur corps (et donc de leur vie) qu'une connaissance superficielle et routinière ne peut être que du bluff. Pour faire de l'expression corporelle qui rime à quelque chose il faut d'abord prendre conscience de ses répressions corporelles.

Quant à la nouvelle science qui cherche à interpréter le langage corporel ou la communication non verbale, il semble très difficile d'analyser ce que veulent dire les gestes ou les attitudes d'un sujet si on ne sait pas d'abord de quoi il est physiquement capable. Être assis, les genoux, les pieds, et les paumes en dedans peut vouloir dire, effectivement, que le sujet refuse les avances de son interlocuteur. Mais peut-être que son attitude exprime tout simplement que la contracture extrême de ses muscles postérieurs l'empêche de se tenir autrement. Peut-être que, quelle que soit la situation, ce sujet communique toujours la même chose : son incapacité à se servir librement d'un corps trop raide depuis trop longtemps. Considérer le langage corporel sans tenir compte du langage verbal est certainement valable ? mais avant tout, ne faut-il pas connaître les limites du vocabulaire musculaire ?

Avant de faire du sport, *avant* de faire de l'expression corporelle, *avant* d'interpréter les gestes d'autrui, *avant* de se dire « paumé » devant le comportement de ses enfants, *avant* d'entreprendre une analyse, *avant* de se résigner à ses problèmes sexuels (nous en parlerons plus loin)... la prise de conscience du corps est un travail préliminaire.

Comme un peintre prépare sa toile, un potier, sa terre, nous devons préparer notre corps avant de nous en servir, avant d'en attendre des « résultats satisfaisants ». C'est l'état du corps *a priori* qui détermine la richesse de l'expérience vécue. Le corps éveillé prend des initiatives, ne se contente plus de recevoir, de subir, « d'encaisser ». En prenant conscience de notre corps, nous lui donnons prise sur la vie.

5

Françoise Mézières : une révolution

Les expériences professionnelles que je viens de raconter, j'ai bien failli ne pas les avoir. Vers la fin de mes études, j'étais prête à tout abandonner, persuadée que je m'étais trompée de voie. J'avais voulu faire un travail comme celui de Suze L. et de Mme Ehrenfried dont l'essentiel est d'aider le sujet à éveiller les sensations réprimées, endormies de son corps, d'en retrouver l'unité et par là le bien-être, la santé. Mais voilà que de l'essentiel je n'entendais plus parler.

Je me trouvais engagée dans un programme d'études dont le but louable était de nous apprendre en trois ans le maximum de techniques éprouvées et approuvées applicables au travail de thérapeute. Nous étions constamment mis en garde de ne pas dépasser nos limites. Ainsi nous apprenions l'anatomie, segment par segment... jusqu'au cou. La tête, justement, dépassait les limites de notre travail, alors par prudence on nous laissait dans l'ignorance. « Primum non nocere », bien sûr. Mais il me semblait que si nous ne risquions guère de nuire, nous ne pouvions guère soigner non plus. Sinon un être sans tête.

Quant à ma tête à moi, j'avais l'impression qu'elle n'était plus qu'un grand fichier où je classais des connaissances 1. anatomiques 2. physiologiques 3. pathologiques ; c'est-à-dire les noms, les angles, les mesures de chaque déformation. D'après ces connaissances, je devais accepter comme étant parfaitement dans l'ordre des choses, par exemple, qu'une superbe jeune femme souriante, confiante, entre dans la salle de rééducation avec mal à la nuque et en sorte accablée, officiellement infirme, avec une étiquette « cervicalgique » et une ordonnance pour vingt séances de trente minutes pendant lesquelles elle sera contrainte de soulever trois cents fois sa tête chargée d'un sac de sable de 500 grammes.

En entrant dans cette salle de rééducation, elle avait quitté le domaine des bien-portants pour passer dans celui des malades, pour être réduite à un sujet à manipuler et, moins encore, à une nuque à manipuler. Quelque chose en moi se braquait contre cette réduction, cette soumission. Mais où se situait-elle cette frontière entre la santé et la maladie et comment éviter de la traverser ? Comment éviter de se laisser glisser dans le piège ? Je n'en savais rien. Je savais seulement qu'il ne fallait pas se laisser réduire à un nom de maladie ; il ne fallait pas se laisser classer dans le fichier pathologique sous peine de n'en jamais sortir, ne serait-ce qu'avec l'étiquette « ex-cervicalgique », cette épée de Damoclès.

Mais, ces pensées-là, je n'avais pas le temps de les approfondir. J'étais trop occupée à passer des examens de contrôle, à me rendre à mes stages hospitaliers où j'apprenais l'art d'accrocher des poulies au bon endroit lorsqu'il s'agissait de mécanothérapie, où je touillais des marmites de parafango, où j'encourageais des lombalgiques grimaçants de douleur à pédaler sur des tables de massage pour se muscler le ventre. Les jours fastes, il m'était donné d'apercevoir le grand patron dans le couloir au cours de sa visite et même il m'arrivait de pouvoir me faufiler derrière sa suite dans la chambre d'un « cas » et, haussée sur la pointe des pieds, de recueillir quelques bribes de phrases tombées de ses lèvres.

Puis un jour, parce que j'avais été une élève très consciencieuse, je fus invitée à assister à une démonstration réservée normalement aux praticiens diplômés. C'est à la suite de cet honneur que, en plein désarroi, j'ai compris que je ne pouvais accepter ni le travail de thérapeute tel qu'il était conçu traditionnellement ni la vision du malade comme une « non-personne », comme un morceau de corps.

Le sujet de la démonstration était une machine impressionnante par ses dimensions et par le nombre de ses manettes, de ses sangles, de ses cadrans. Nous en faisions le tour puis nous reculions et attendions dans un silence respectueux. Une infirmière entra dans la salle tenant fermement par l'avant-bras un garçon de sept à huit ans. En guise de présentation, elle dit : « Une scoliose dorsale droite, lombaire gauche, angulation x degrés. » Pas de nom de famille, pas de prénom, certainement pas de petit nom : un nom de maladie. C'est alors que la monitrice le prit par les épaules et nous le proposa de dos, de profil, de face, indiquant ses déformations avec un instrument métallique tenu du bout des doigts. Mais du corps de ce garçon j'ai gardé peu de souvenir. C'était ses yeux qui m'avaient impressionnée, de larges yeux bruns, tenus grands ouverts par la terreur. Il y avait de quoi.

Une fois exposé aux stagiaires, « scoliose dorsale droite, lombaire gauche » fut repris en main par l'infirmière qui lui glissa sur la tête un « tube » en jersey blanc censé lui retenir les cheveux, et un autre sur le thorax. Ainsi accoutré, il fut couché dans la machine et attaché par la tête, les épaules, la taille, les jambes.

Le degré de déviation de sa colonne vertébrale avait déjà été mesuré. Il fallait maintenant régler la machine en fonction de ces mesures. Je ne pus penser qu'à la machine décrite par Kafka dans *La Colonie pénitentiaire* qui se réglait, elle, pour pouvoir graver sur le corps du coupable qui y était couché sa sentence : « Respecte ton supérieur. » Pouvait-on forcer le corps du petit garçon à obéir à l'admonition de la machine : « Tiens-toi droit » ?

La machine fut mise en marche. Elle tirait – un bruit sec de pendule ralentie – sur le corps du garçon. Un coup de manette et la machine s'arrêta, le temps de vérifier les chiffres. Puis elle fut remise en marche. Arrêtée. Vérifiée. Remise en marche. Arrêtée. Vérifiée, jusqu'à ce que les chiffres indiquent que le travail avait été effectué. Toutes les attentions étaient pour la machine. L'enfant ne recevait que quelques ordres : ne pas s'agiter, ne pas pleurer, sous peine de contrarier le travail de la machine. Quand enfin, hoquetant de sanglots contenus, tremblant, il fut enlevé de la machine ce fut pour être mis immédiatement dans un corset censé tenir en place les rectifications obtenues.

Je quittai la salle, tremblante moi aussi, convaincue de la vanité et de la cruauté des méthodes que je m'étais acharnée à apprendre. Je savais bien que je venais d'en voir une démonstration particulièrement dramatique mais elle était quand même représentative de ce mépris de l'être humain, de cette confiance dans les traitements mécaniques dont l'efficacité ne pouvait être que momentanée. J'avais le sentiment d'être impuissante devant l'autorité, de n'avoir d'autre alternative que de refuser d'en être complice et d'abandonner mes études. C'est alors qu'une grande femme dans un habit de sœur-missionnaire qui avait elle aussi assisté à la démonstration, m'adressa la parole.

« C'est diabolique, n'est-ce pas ? Heureusement qu'il n'y a pas que ça.

– Comment ?

– Heureusement qu'il y a la méthode Mézières.

– Connais pas.

– Bien sûr que non. Ce n'est pas à l'école qu'on va vous l'apprendre. La méthode de Françoise Mézières est en parfaite contradiction avec tout ce qu'on apprend ici. Elle est à l'opposé de toutes les idées sur la santé et sur la maladie, de toutes les techniques qu'on a décidé une fois pour toutes d'officialiser. Accepter Françoise Mézières veut dire refuser les bases de la gymnastique médicale telle qu'elle est pratiquée actuellement. Dire "oui" à Mézières c'est dire "oui" à la révolution. Alors vous imaginez...

– Mais si sa méthode est valable...

– C'est cela le plus terrible. Personne, aucun spécialiste n'a jamais pu réfuter sa découverte et la méthode qui en découle. Ceux qui ont daigné lire ses écrits lui ont tiré leur chapeau d'une main et lui ont claqué la porte au nez de l'autre. C'est très grave. C'est symptomatique non seulement de la situation actuelle de la médecine, mais de la manière dont nos vies sont réglées par ceux qui ont le pouvoir dans tous les domaines. Aujourd'hui les seuls qui peuvent se permettre d'accepter la méthode Mézières, les seuls pour qui elle est "rentable" sont les soi-disant incurables,

les malades dont l'état a été aggravé par des traitements inappropriés, répressifs, inhumains. Généralement les seuls praticiens qui l'acceptent sont certains homéopathes et acupuncteurs, des "parallèles" qui croient qu'il est plus important de respecter le corps humain que le corps médical.

– Que faut-il faire alors ?

– Françoise Mézières accepte depuis peu d'enseigner sa méthode et cela uniquement aux professionnels. Alors je vous conseille de finir vos études et puis, si vous voulez en savoir davantage, vous irez la voir. »

J'y suis allée et maintenant, pour plusieurs raisons, je tiens à décrire dans des termes très simples son travail, exposé jusqu'ici seulement devant des professionnels.

Il est évident à tous ceux qui ont accepté d'apprendre sa méthode qu'elle produit des résultats spectaculaires et durables, qu'il s'agisse de corriger des laideurs dites normales ou de guérir de grosses déformations. Je dis bien guérir. Éliminer la cause de la déformation et non pas simplement en atténuer provisoirement les effets.

« Nous ne devons pas tolérer l'échec », dit Françoise Mézières.

Mais pourquoi sa découverte qui date d'il y a vingt-cinq ans et la méthode qui en découle et qu'elle n'a jamais cessé d'approfondir et de perfectionner sont-elles ignorées non seulement du public mais de la grande majorité des thérapeutes ? Parce qu'elles ne peuvent pas être incluses dans les programmes d'études traditionnels sans les renverser, sans que ces programmes et la vision de l'être humain sur laquelle ils sont basés soient entièrement revus. Mais pour voir ou pour revoir, il faut bien ouvrir les yeux, il faut oser observer le corps dans sa totalité, même si ces observations contredisent les vérités sacro-saintes. Et c'est justement cela que les « autorités », les spécialistes ne sont pas encore prêts à faire. Le seul espoir qu'un public plus grand puisse bénéficier du travail de Françoise Mézières n'est-il donc pas de l'informer directement d'une découverte que chacun peut, après tout, professionnels compris, vérifier avec ses propres yeux, avec l'expérience de son propre corps ?

Je vous présente alors une technique révolutionnaire... mais aussi une personne. Qualifiée par ses amis de « géniale », par ses détracteurs de « folle géniale », elle est, comme la méthode qui porte son nom, originale, entière, d'une rigueur parfaite.

Mais commençons au début... Munie de mon diplôme, je me suis inscrite au stage d'été de Françoise Mézières. Après dix heures de route, les chemins devenaient de plus en plus étroits, les maisons de plus en plus rares et pauvres, les visages de plus en plus fermés. Entre l'océan et le marais poitevin, un ciel blanc, immense, une terre plate, des marécages et voilà que le chemin ne va pas plus loin : le bout du monde, ou le seuil ?

Au bord d'un étang, une grande maison basse devant laquelle quelqu'un jardine. Une tête aux cheveux blancs comme le ciel se dresse. Des yeux clairs, un regard qui regarde. « Vous avez eu du mal à trouver ? » Une voix grave, éraillée. Si l'arbre savait parler, il aurait cette voix-là.

Le récit de mes tribulations lui inspire un rire hardi. Elle se lève et me tend une main douce, très ferme, les doigts joints continuent la courbe de la paume : une main faite pour malaxer la terre, une main de potier.

« Vous êtes venue dans l'antre de l'ours. » En fait, de toute ma vie je n'avais jamais vu quelqu'un se déplacer avec autant de souplesse que cette petite femme de soixante-trois ans.

De l'autre côté de la maison, quelques voitures immatriculées de toutes les régions de France, de Suisse et de Belgique. Tous spécialistes de la gymnastique médicale, nous serons une dizaine de stagiaires à travailler ici pendant un mois.

Nous voilà réunis au rez-de-chaussée dans une grande salle. Absolument vide. Pas de machines. Pas d'appareils spéciaux. Même pas de table de massage. Rien qu'un petit tapis. Surpris, peut-être un peu méfiants, ce que nous allons voir et entendre nous déconcertera bien davantage.

Françoise Mézières prend sa place au milieu de la pièce et nous invite à nous asseoir par terre autour d'elle.

« Mes amis, voulez-vous me rappeler quelle est la cause principale des déformations que vous êtes appelés à soigner ? »

Voilà qui nous est familier, rassurant. Plusieurs voix disent ensemble : La pesanteur. La faiblesse des muscles postérieurs. Rhumatisme. Arthrose. Arthrite. Asthénie. Décalcification...

Françoise Mézières nous fixe de son regard clair.

« Mes amis, il y a vingt-cinq ans, si l'on m'avait posé la même question, j'aurais sorti les âneries que vous venez de prononcer. »

Dans la salle, un silence lourd, orageux. Françoise Mézières continue : « L'enseignement classique inhibe. Il nous apprend à mesurer à l'aide de fils à plomb, de spiromètres, à diagnostiquer et puis à traiter, en se servant d'une riche panoplie de machines savantes, de corsets, de coquilles, les déformations considérées curables par les méthodes de la kinésithérapie. Quant aux physiques ingrats, disproportionnés, gauches, nous devons les accepter comme normaux ou parce qu'ils sont "classables" parmi les types morphologiques reconnus, ou bien parce que la laideur ne se trouve pas sur notre liste officielle de maladies. Pour les déformations dites "fixées" à cause de leur extrême raideur, bien qu'elles continuent à s'aggraver, nous sommes priés de les confier à Dame Chirurgie ou à leur triste destin.

Moi, je vous dis qu'il ne faut pas que notre regard s'arrête sur chaque tortillon. Il ne faut pas que nous fermions nos yeux sur la réalité pour mieux la contraindre à se conformer aux concepts académiques. Il faut que nous n'ayons d'yeux que pour la morphologie parfaite et que nous ne nous laissions guider que par l'élégance des formes. »

L'étonnement dans l'air ne brise pas cependant le silence.

« Je vous demanderai quelque chose de nouveau. Je vous demanderai d'observer. Je vous demanderai de toucher avec vos mains et non pas avec des instruments. Et puis je vous demanderai de croire non pas ce que vous avez lu, mais ce que vous avez perçu. »

Pour entraîner nos facultés d'observation, elle nous demanda de prendre en considération d'abord la « vérité sacro-sainte » de la pesanteur, censée nous tirer en avant et à laquelle nous sommes censés résister grâce à l'action intense des muscles de notre dos. Tous nos malheurs viendraient donc de cette forte action que nos « faibles » muscles postérieurs sont obligés d'exercer pour soutenir notre colonne vertébrale, pour nous empêcher de tomber en avant. Fortifier ces muscles pour les aider à accomplir leur tâche principale serait donc une des fonctions les plus importantes de notre travail.

« En bref, c'est bien cela que vous avez tous appris ? »

Hochements de tête. Puis un silence plein de méfiance.

« Pour commencer je vous pose une petite question. Pourquoi cette fameuse pesanteur nous tirerait-elle en avant plutôt qu'en arrière ? »

Personne ne répond.

« Maintenant je vais vous demander de vous lever et de vous mettre dans la position que vous avez l'habitude d'appeler “verticale”, mais qui est simplement bipède. Bien. Comment tenons-nous en équilibre ? Essayez de vous observer. Peut-être que vous vous rendrez compte de nouveau de ce que vous avez dû découvrir quand vous vous êtes tenus debout seul pour la première fois. »

Ainsi en observant le mouvement de mon propre corps j'ai compris que je trouvais mon équilibre en déplaçant le poids de mon corps. Je tenais la tête et le ventre en avant et les « reins » cambrés en arrière. Car en vérité il s'agissait non seulement de ne pas tomber en arrière, mais de ne pas tomber en avant non plus !

Ce déplacement des masses du corps – tête, ventre, dos – fait cependant que les courbures vertébrales s'accentuent. La tête tenue en avant, les muscles qui sont attachés aux vertèbres cervicales se tassent et tiennent les vertèbres dans un arc concave. Comme serrer un accordéon d'un côté fait que l'autre côté ouvre grand ses plis en arc de cercle. La même chose est vraie pour les muscles du bas du dos par rapport aux vertèbres lombaires. Et cette courbure et le tassement de la musculature postérieure – les rançons de notre équilibre – ne peuvent que s'aggraver au cours de la vie.

Ce n'est donc pas du tout l'insuffisance de la musculature postérieure qui est en cause *mais son excès de force*. Il ne s'agit donc ni de « fortifier » les muscles du dos qui sont déjà excessivement contractés, ni de les aider à mieux soutenir les vertèbres. Au contraire. Il faut étirer les muscles postérieurs pour qu'ils lâchent leur prise sur les vertèbres tenues en arc concave[1].

Françoise Mézières expliqua que ce n'était pas seulement l'effort de se tenir en équilibre qui faisait se raccourcir les muscles postérieurs, mais tous les mouvements de moyenne et de grande amplitude exécutés par les bras et les jambes, solidaires de la colonne vertébrale. Chaque fois que nous levons les bras plus haut que les épaules, chaque fois que nous écartons les jambes de plus de 45 degrés, les muscles du dos se raccourcissent davantage. Le raccourcissement, la contraction des muscles postérieurs s'accompagne toujours de rotation interne des membres et aussi de blocage du diaphragme.

« C'est donc contre ce raccourcissement qu'il faut lutter, mes amis. Si vous continuez, en sachant cela, à vouloir "fortifier" le dos de vos patients, à le rendre plus tendu, vous êtes dangereux et irresponsables. »

Mais l'essentiel de sa découverte est qu'en effaçant la cambrure d'un segment de la colonne vertébrale on la fait se déplacer dans un autre segment. En corri-

1. La description précise et complète des principes de Françoise Mézières se trouve dans ses propres écrits, destinés aux professionnels. (Voir bibliographie.)

geant la cambrure des vertèbres lombaires, on fait creuser la nuque et vice versa. En allongeant un muscle postérieur quelconque, on engendre le raccourcissement de l'ensemble des muscles postérieurs qui se comportent comme s'ils étaient un seul muscle s'étendant depuis le crâne jusqu'au-dessous des pieds. D'où la vanité d'un travail segmentaire qui soigne le corps comme s'il était un objet industriel en pièces détachées. Il est absolument nécessaire de considérer le corps comme une totalité et de le soigner comme tel, en tenant compte non pas d'une multitude de symptômes, mais de l'*unique cause* de ses déformations : *le raccourcissement de toute la musculature postérieure qui est l'effet inévitable des mouvements quotidiens du corps*.

Elle nous livrait cette conclusion avec une certitude parfaite née non pas de l'orgueil mais de vingt-cinq ans d'expérience professionnelle. Car depuis qu'elle a fait cette découverte elle n'a jamais vu une déformation dont la cause fût autre que cet excès de contracture dans la musculature postérieure. D'ailleurs, durant les deux années qui suivirent sa découverte – qui s'opposait à tout ce qu'elle avait elle-même appris et enseigné depuis des années –, elle essaya de se prouver que ses nouvelles observations étaient fausses. Mais elles étaient vraies. Alors il ne lui restait qu'à forger une méthode de travail basée non seulement sur l'observation des faits, mais confirmée par une connaissance approfondie de l'anatomie, de la mécanique articulaire, de la neurologie, une méthode irréfutable, d'une rigueur parfaite, qui semble extrêmement simple mais qui est extraordinairement nuancée et s'adapte aux besoins particuliers de chaque malade... une méthode qui lui a valu son exclusion des bastions officiels.

Pendant qu'elle nous parlait, je pensais que ce n'est pas seulement l'individu qui a de son corps une perception partielle, mais aussi des spécialistes de la gymnastique, les médecins, les chirurgiens, qui ne considèrent le corps humain que par segments. Et si ce n'était pas seulement leur formation professionnelle qui inhibait leurs perceptions, mais aussi leur façon fragmentaire de vivre leur propre corps ?

Et ce raccourcissement qui ne peut que s'aggraver au cours des années, n'aurait-il pas, parallèlement aux déformations physiques qu'il engendre, un effet néfaste sur le psychisme de l'individu ? Se sentir tassé, physiquement réduit, n'est-ce pas le contraire même de la sensation d'épanouissement ? Se sentir écrasé par sa propre musculature ne donne-t-il pas l'impression d'être écrasé par la vie ? Se libérer ne veut-il pas dire littéralement délier notre musculature pour atteindre les dimensions auxquelles nous aspirons, celles qui nous sont propres ? Ne vaut-il pas mieux pouvoir prolonger notre image de nous-mêmes par « l'élasticité » de nos muscles et de nos gestes plutôt que de compter uniquement sur l'effet de nos vêtements, nos décorations ?

La voix d'un des stagiaires interrompit mes pensées.

« Mais vous parlez, mademoiselle Mézières, comme si le corps n'était fait que de muscles. Et les déformations des os, des articulations ? »

Françoise Mézières nous expliqua qu'à l'exception des fractures et de quelques déformations congénitales, ce sont les muscles qui sont responsables des déformations des os et des articulations. Raccourcis, les muscles postérieurs tirent sur les os sur lesquels ils sont insérés et font qu'à la longue les surfaces articulaires ne se répondent plus avec l'exacte précision qui est nécessaire. Le cartilage qui entoure les extrémités des os s'use.

Dans la mesure où ce sont les muscles qui sont responsables du mouvement des segments, Françoise Mézières nous conseillait de nous méfier des radios qui semblent montrer une articulation fixée à jamais et qui serait donc de l'unique ressort de la chirurgie. Or, s'il y a même une esquisse de mouvement possible et si le malade éprouve de la douleur en faisant ce mouvement, ses articulations, malgré les apparences, ne sont pas « soudées » et peuvent être soignées en faisant lâcher les contractures des muscles périphériques.

« Le corps n'est pas fait que de muscles, mais seuls les muscles déterminent la forme du corps. »

Puis elle nous raconta l'histoire d'une très vieille dame qui avait habité son village. Atteinte de la maladie de Parkinson, avec de nombreuses complications, son corps était plié en deux, sa tête tenue toujours au même angle. Elle dormait pliée, ne s'était jamais redressée depuis des années. Le jour où la vieille dame mourut, Françoise Mézières passa devant sa maison. Elle entra et trouva la défunte étendue sur son lit. Parfaitement droite !

« Une fois morte, ses muscles, bien entendu, avaient lâché leur prise sur ses os et l'on a pu l'étendre sans difficulté. Au cimetière, vous savez, tous les squelettes se ressemblent. »

Avant de commenter plus longuement la très rare faculté qu'a Françoise Mézières de voir avec une clarté qu'aucun préjugé n'obscurcit, je voudrais exposer certains de ses autres concepts de base, dont celui de la recherche de l'élégance des formes.

La morphologie parfaite

La gymnastique médicale classique se contente d'analyser et de classer les différents types de morphologie qui sont considérés comme constitutionnels et, pour cela, irréversibles. Qu'on soit longiligne, bréviligne, rond, plat ou cubique, on est comme on est. Notre structure imparfaite, parce que courante, est considérée comme normale. La beauté des justes proportions n'est-elle pas, comme la santé, un don rarement accordé par l'ingrate nature ? La beauté, exceptionnelle, serait donc anormale.

Françoise Mézières enseigne que la morphologie ne devrait pas être la science du classement des dysmorphismes, mais l'art de reconnaître la forme parfaite, qui est la seule morphologie normale. Elle nous a appris à n'accepter aucun travail s'il ne tend vers cette forme parfaite. Car ni l'importance de la déviation du sujet ni son âge ne l'empêchent de pouvoir s'approcher sensiblement de cette forme. A la stupéfaction de ses stagiaires, elle déclara que ni le type morphologique, même héréditaire, ni les déformations acquises (à l'exception des fractures et mutilations), ne sont irréversibles. Elle avait même constaté que le corps des personnes âgées (le doyen de ses patients avait quatre-vingt-cinq ans), était plus malléable que celui des jeunes et qu'elle pouvait en obtenir des résultats étonnants.

La description que fait Françoise Mézières du corps normal est celle de la sculpture grecque de la période classique. Pourquoi pas celle des Hindous ou celle de l'art gothique français, pourrait-on se demander. La beauté n'est-elle pas une idée aussi arbitraire et fugitive que la mode ? La forme parfaite n'est-elle pas une question de goût ?

Françoise Mézières maintient que la seule morphologie normale est celle qui correspond aux rapports des proportions des parties du corps entre elles qui caractérisent l'art grec de la période classique. Cet art fut unique à représenter l'être humain comme il *devrait être*... c'est-à-dire comme il pourrait être s'il réalisait son potentiel réel. Le corps humain ainsi épanoui devenait digne de celui d'un héros ou d'une divinité (la grande danseuse américaine Martha Graham parle du « divin être normal »).

L'artiste grec ne cherchait pas à exprimer des contradictions psychologiques, mystiques ou politiques... mais plutôt une unité corporelle et morale non pas utopique mais réalisable et vers laquelle chaque mortel par respect pour lui-même devait tendre. La célèbre « sérénité » qui marque les œuvres de la grande époque grecque est l'expression de cette unité accomplie et de la parfaite santé physique du sujet puisque pour les Grecs il ne pouvait y avoir beauté sans santé. Et il ne pouvait y avoir santé sans la beauté des justes proportions.

Avec les quelques indications que je vais vous donner vous pourrez comparer votre corps à cette image normale et commencer à comprendre que vos « défauts » véritables ne sont peut-être pas ceux qui vous préoccupaient jusqu'à maintenant.

De face, les clavicules, les épaules, les mamelons, les espaces entre les bras et les côtes doivent être symétriques et de même niveau.

De dos, la nuque doit être longue et pleine (et non montrer deux saillies verticales séparant trois gout-

Poséidon (Musée national d'Athènes. Photo Boudot-Lamotte)

tières). Les omoplates doivent être symétriques et n'accuser aucun relief. Les épaules et les hanches doivent être symétriques également.

En position de flexion du tronc en avant, la tête pendante, les pieds réunis, la colonne doit être en convexité totale et régulière et l'aplomb des genoux se situer sur les têtes astragaliennes (et non reculer en arrière des talons). Les genoux ne doivent pas « loucher ».

Il doit vous être facile de vous tenir debout, les pieds réunis du talon au bout du premier orteil. Dans cette position, le haut des cuisses, l'intérieur des genoux, les mollets et les os internes des chevilles (les malléoles) doivent se toucher.

Le pied doit s'élargir du talon au bout des orteils qui doivent diverger et s'étendre au sol. Les bords latéraux du pied doivent être rectilignes, le bord interne encoché par la voûte interne qui doit être visible.

Toute déviation de cette description indique une déformation corporelle. Et toute déformation a sa source dans l'excès de force de la musculature postérieure. Quand Françoise Mézières dit « nous sommes tous beaux et bien faits », elle veut dire que nous sommes tous perfectibles... à condition de pouvoir nous voir dans notre ensemble et de vouloir nous modeler sur cette morphologie parfaite que nous possédons en puissance.

Mais combien d'entre nous sont attachés à un détail qui « fait notre charme », bien qu'il ne soit qu'une déformation qui ne peut que se dégrader au fil des années ? Une démarche « séduisante » qui n'est que l'effet d'une élévation de la hanche ; des omoplates « attendrissantes » parce qu'elles rappellent des ailes d'ange ; un regard « intéressant » parce que le port de la tête est désaxé ; des « fesses en l'air » qui sont l'effet d'une région lombaire dangereusement cambrée... nos soi-disant charmes sont des annonciateurs de douleurs et de détresses futures. Seule la beauté se porte garante de la santé.

Parfois nous reconnaissons qu'une partie de notre corps est laide, mais nous n'y attachons pas d'importance si nous pouvons la cacher et si elle n'est pas source de douleur persistante. Le pied en est un exemple parfait. Françoise Mézières parle de « ces hideux pilons que sont les pieds des Occidentaux ». D'après elle, « on ne peut conserver la morphologie parfaite du pied en portant des chaussures qui le contraignent au lieu seulement de le protéger. Celles-ci devraient respecter le contour du pied et laisser aux orteils la liberté de tous leurs mouvements (mais l'esthétique moderne ne le veut pas et, pourtant, imagine-t-on une statue grecque avec des pieds pointus !). Par contre, les voûtes étant des ressorts, l'intérieur de la semelle devrait être absolument plat, car le pied s'adapte au sol et non le sol au pied, tandis que la chaussure se conforme à l'empreinte du pied. Enfin, la marche normale obligeant l'attaque du sol par le bord postéro-inférieur du talon, la jambe étant en complète extension, aucun talon, si petit soit-il, ne devrait exister. Or, il n'est aucun modèle de chaussure répondant à ces exigences »...

Mais le plus souvent, quand nous sommes conscients de certaines laideurs de notre corps, nous ne nous acharnons que sur la partie qui nous offense. Et nous sommes frustrés dans nos efforts pour la corriger. Ainsi un très grand nombre de femmes se plaignent toute la vie de la forme de leurs jambes. Elles ont « une culotte de cheval », un alourdissement du haut des cuisses ou un creux entre le haut des cuisses. Aucun exercice ou traitement local n'est satisfaisant. Mais elles ne savent pas pourquoi.

En fait, ces laideurs ne sont que l'effet de la rotation interne des genoux qui, elle, est l'effet de la raideur de toute la musculature postérieure. Cette raideur est aussi la cause de la rotation interne des épaules enroulées en avant, et fait qu'en station debout les mains tombent en avant de la cuisse. En fait, le médius doit tomber au milieu de la face externe de la cuisse.

De même que l'enroulement de l'épaule influence les coudes et les mains, la rotation interne du fémur influence les genoux et les pieds, d'où l'aspect, selon les cas, des jambes en X ou en parenthèses, et des pieds plats ou creux, varus ou valgus, et toutes les déformations des orteils. « Pour corriger nos laideurs, il s'agit donc de corriger nos raideurs. »

Encore sceptique, un des stagiaires crut avoir trouvé une faille à sa théorie.

« Tout cela est fort intéressant, mademoiselle, mais comment expliquez-vous le problème des sujets trop souples ? L'hyperlaxité, ça existe quand même. »

Françoise Mézières lui fait un sourire taquin.

« L'hyperlaxité, mon ami, n'existe que dans les dictionnaires. Dans la vie il n'y a jamais eu quelqu'un de trop souple. » Avant que le stagiaire ait pu protester, elle ajouta : « Tout à l'heure, vous en aurez la preuve. »

Effectivement, quelques heures plus tard, Françoise Mézières reçut devant nous une jeune fille de quinze ans. Diagnostic de son médecin : hyperlaxité avec faiblesses ligamentaires.

La jeune fille nous montre en riant ses coudes qui pivotent de façon inquiétante. « C'est mon grand numéro à succès au lycée », nous dit-elle. Debout, vue de profil, ses jambes semblent avoir, elles aussi, glissé dans leurs articulations. Ses genoux sont en recurvatum, c'est-à-dire que ses rotules semblent avoir reculé, poussant le genou en arrière.

Françoise Mézières demande à la jeune fille de se pencher en avant. Avec apparemment la plus grande aisance, elle pose les paumes à plat sur le sol. Elle pourrait presque y poser les coudes. Mais la rotation interne des genoux est impressionnante : ses rotules, au lieu de regarder en face, convergent.

Elle se couche sur le dos et Françoise Mézières, avec l'aide de deux stagiaires, s'applique à allonger ses muscles postérieurs. Il faut beaucoup d'effort pour obtenir une dérotation des genoux. Les adducteurs, muscles à l'intérieur des cuisses jusqu'aux genoux, sont raccourcis et durs comme des câbles d'acier. « Je déteste me mettre en maillot à cause de ce creux entre mes cuisses », nous dit-elle.

Lorsque enfin nous obtenons l'allongement des muscles postérieurs et de ce fait la dérotation des genoux, nous nous apercevons qu'il lui est impossible d'étendre le pied. La raideur des muscles postérieurs de sa jambe ne le permet pas. Nous n'avons rencontré donc que raideur après raideur. Qu'en était-il alors de l'excès de souplesse annoncé ?

Françoise Mézières enseigne que si l'on savait abandonner les œillères, la relation des formes du corps entre elles apparaîtrait. On verrait se modifier l'aspect des régions antérieures du corps avec celui du dos, celui du haut avec celui du bas, et inversement. Si l'organisme était soigné comme l'unité qu'il est, c'en serait fini des plâtres, des corsets, des semelles ainsi que de la panoplie de poids, de poulies et d'appareils qui se trouvent actuellement dans les cabinets des praticiens.

Pendant qu'elle parlait de la nécessité de n'employer dans notre travail que notre intelligence, nos facultés d'observation, nos mains et nos propres muscles, un stagiaire chuchota à un autre : « Dis donc, tu ne vas jamais amortir ton matériel. »

Françoise Mézières entendit. Elle interrompit son discours pour dire : « Mes amis, ne comptez pas sur ma méthode pour faire fortune. Dans notre travail, il ne faut compter ni son temps ni sa peine. Nous ne sommes pas des mécaniciens qui travaillent à la chaîne. Notre travail est long et difficile car, même lorsqu'une partie seulement semble requérir nos soins, il est nécessaire de traiter le corps dans sa totalité. C'est un travail qui demande toute notre attention et toute notre force physique car les muscles résistent. Eux aussi, ils tiennent à leurs mauvaises habitudes. Et puis, il nous faut aussi une force morale. Nous travaillons à contre-courant des doctrines et des pratiques erronées mais acceptées qui, elles, résistent à toutes les preuves de leur inexactitude. »

Elle nous expliqua que le but final de notre travail était de rendre le sujet autonome, maître de son corps. Mais cette indépendance, il ne peut la gagner qu'en devenant conscient de l'organisation de ses mouvements. Il faut qu'il se connaisse lui-même et qu'il accepte la responsabilité de se connaître mieux que personne. Sinon il cherchera toujours l'autorité ailleurs : chez un médecin, dans une drogue, un traitement. Il lui arrivera de se révolter contre ces autorités qu'il a lui-même mises au pouvoir, de vouloir s'en libérer, mais il en sera incapable. Son corps ne lui appartiendra jamais s'il n'en prend pas lui-même possession.

« Ne cherchons jamais à dominer le corps de l'autre, mes amis. Notre seul orgueil doit être de le libérer. »

Le respect du corps humain, la volonté de faire découvrir par un être des possibilités qu'il ne se connaissait pas, de le rendre plus intelligent, plus indépendant, voilà la première fois que j'en entendais parler après trois ans d'études classiques. Mais qui donc était cette femme qui parlait avec tant de fougue de sujets essentiels dont ailleurs on ne soufflait mot ?

J'avais appris qu'elle était née à Hanoï et qu'elle y avait vécu jusqu'à l'âge de neuf ans. Milieu bourgeois (son père était avocat attaché à l'Ambassade française), mais train de vie princier. Douze serviteurs étaient chargés de toute tâche matérielle : à neuf ans, elle ne savait ni s'habiller ni se baigner seule. Maladive, dyslexique, sa mère lui reprochait de faire tout à l'envers « comme une Chinoise ». Faire tout à l'envers, tourner le dos à ce qui était acceptable, attendu dans son milieu, n'est-ce pas grâce à cette faculté qu'elle a pu élaborer sa méthode ?

Plus tard, quand j'ai étudié l'acupuncture et les techniques qui en découlent, je compris que, si la méthode de Françoise Mézières s'inscrit dans un contexte, il ne peut être qu'oriental. En regardant les planches des « méridiens » ou trajets d'énergie de la médecine chinoise, j'ai été frappée de voir que tous les méridiens de force (yang) étaient situés dans la partie postérieure du corps, du crâne jusqu'au-dessous du pied, et tous les méridiens passifs (yin) sur la face antérieure du corps. Comme dans le travail de Françoise Mézières, en médecine chinoise, le yang ne doit pas prévaloir sur le yin, et le corps doit être considéré dans sa totalité. Cette vision du corps dont la santé dépend de la distribution équilibrée de son énergie est à l'opposé de celle, occidentale, du corps compartimenté dont chaque « case » est du domaine d'un spécialiste différent (y compris la « case » qui manque).

Je revoyais ma première image d'elle, à genoux, dans son potager. Le travail dont elle venait de nous parler demandait autant de patience, autant d'humilité que le jardinage. Il serait aussi vain de vouloir faire s'accélérer le rythme des saisons, hâter le mûrissement des fruits que de forcer le corps à se réaliser. Et tout comme les germes, le corps, s'il a été bien préparé, a sa vie souterraine. Si pendant la séance hebdomadaire de travail, le praticien a pris soin de bien orienter le corps, de lui préparer un nouveau terrain propice à son épanouissement, alors le corps suit la bonne impulsion et, seul, il évolue dans le bon sens tout naturellement. Sauf si l'être est pris de peur, sauf si la responsabilité de l'indépendance et de la maturité l'effraie à tel point que lui-même sabote son progrès.

Plus tard quand on lui a demandé de résumer l'essentiel de son travail, Françoise Mézières trouva une autre image. Elle dit : « Je fais de la sculpture sur le vivant. »

Cette anthroposculpture qui a pour seul modèle la forme normale, depuis vingt-cinq ans elle la pratique pour soigner d'innombrables malades dont ceux décrétés « incurables » par des spécialistes dont la vision était limitée justement au segment du corps dont ils s'occupaient.

Pendant mon stage, j'ai assisté à une séance ainsi décrite par Françoise Mézières : « Madame P., kinésithérapeute, vient effectuer un stage d'enseignement de notre méthode. Nous remarquons que son visage est un peu figé, et qu'il y a quelque bizarrerie dans son regard. Nous effectuons sur elle, comme sur chaque stagiaire, la démonstration des principes de notre méthode et constatons que le bras gauche s'écarte difficilement. Madame P. nous apprend alors qu'elle a été victime, voici deux ans, d'un accident de voiture. Son visage a dû être couturé et son champ visuel a été détérioré. Nous palpons le cou : C2, C3, C7 sont déviées à gauche. Nous travaillons très doucement le cou et la réaction (habituelle après les premières séances) se produit aussitôt, très violente : froid, tremblements, sommeil. Nous l'étendons, la couvrons, elle s'endort et nous annonce, en fin d'après-midi, qu'il lui semble “voir plus largement”. Nous pensons qu'il s'agit d'une illusion due à la perturbation d'autant que les experts, vus récemment et pour la dernière fois, lui ont déclaré que la détérioration de son champ visuel était absolument irréversible.

Mais après une seconde application de traitement la semaine suivante, suivie des mêmes réactions, madame P. a recouvré tout son champ visuel[1]... »

Que veulent dire ces réactions parfois violentes du corps pendant ou après une séance de travail ? Françoise Mézières explique que sa méthode agit surtout sur le sympathique et le parasympathique, c'est-à-dire sur les systèmes d'auto-défense du corps. Forcée d'abandonner ses vieilles habitudes, ses réflexes, « la carcasse prend peur ». Elle en tremble littéralement ; elle cherche à s'échapper dans le sommeil. Car ne plus se reconnaître même quand notre image habituelle est pénible, effraie. L'inconnu, que ce soit la mort ou une nouvelle vie, nous rebute, nous fait reculer.

1. F. Mézières, « Importance de la statique cervicale », *Cahiers de la Méthode naturelle*, n°51, 1972, p. 11.

« Et la gymnastique respiratoire ? demanda un jour une jeune collègue qui venait de terminer ses stages hospitaliers.

– Il est aussi absurde d'apprendre à respirer que d'apprendre à faire circuler son sang, lui lança Françoise Mézières. La respiration n'a pas à être éduquée mais libérée. Elle est défectueuse parce qu'elle est entravée. Et elle est entravée par des causes étrangères à la fonction respiratoire. Elle est entravée par le raccourcissement des muscles postérieurs. Le seul traitement d'une insuffisance respiratoire est donc l'assouplissement de ces muscles. »

Elle nous expliqua que, bien que le diaphragme se fasse passer pour la victime de la cambrure excessive (lordose), il est en fait le complice. Car le diaphragme est un des muscles qui s'insèrent sur les vertèbres lombaires et contribue à fixer la lordose. Elle nous dit de considérer le diaphragme comme la paroi inférieure de la cage thoracique. Comme le fond d'une boîte, son gauchissement influence les parois et, inversement, le gauchissement des parois s'oppose à la correction des faces adjacentes[1].

« Tous les mouvements que vous faites pratiquer en gymnastique classique – forcer l'inspiration ou faire rejeter la colonne en arrière pour "ouvrir" la cage thoracique – ne font donc qu'aggraver le blocage du diaphragme et la lordose. Et vous les aggravez encore

1. Le diaphragme est un muscle lordosant de par les insertions de ses piliers, fixés sur les corps des 2e, 3e (et souvent 4e) vertèbres lombaires, et de son arcade du psoas, qui s'étend de l'apophyse transverse de la 12e dorsale à celle de la 2e lombaire. C'est une façon inhabituelle de considérer le diaphragme, puisqu'il n'est question, classiquement, que de sa fonction respiratoire.

plus en faisant lever les bras. Vous n'avez qu'à regarder la laideur du thorax pendant ces exercices pour comprendre qu'il n'en faut attendre aucune amélioration. Quel que soit le mouvement, d'ailleurs, s'il rend le sujet encore plus laid, il ne peut pas être bénéfique. Nous avons tous un sens inné de la beauté, mes amis. Ne le reniez jamais, et surtout pas au nom de la science. »

La douleur occulte

L'enseignement de Françoise Mézières se déroulait comme un roman policier complexe. Nous étions amenés à examiner de très près les soi-disant évidences et à constater que plutôt que de révéler la vérité, elles la cachaient. Ainsi nous constations qu'un pied plat, par exemple, n'était pas lui-même « le coupable » qu'on était appelé à corriger, mais que le pied était « la victime » du genou en rotation interne qui, lui, était victime d'une déformation musculaire du dos. S'acharner à vouloir corriger le pied, donc, serait perpétuer l'injustice des techniques classiques et laisser « en liberté » un dos qui perpétuerait avec le temps d'autres « crimes » sur le corps.

Mais Françoise Mézières allait bien plus loin. Elle refusait d'attribuer à « Dame Nature » les disgrâces physiques, les attitudes bizarres, les ankyloses qui n'attirent pas l'attention des spécialistes avant qu'elles ne deviennent de grosses déformations. (Car ces légères altérations vont toujours croissant.) Elle nous aidait à chercher les mobiles de ces comportements corporels et à découvrir qu'ils étaient effectivement cachés. Mais au lieu de respecter leur clandestinité, nous étions amenés à les déceler et à les soigner, tout invisibles qu'ils soient !

Ainsi nous apprenions qu'il existe non seulement des mouvements et des attitudes qui nous défendent de douleurs dont nous sommes conscients, mais qu'il existe aussi des automatismes de défense contre des douleurs occultes. Intuitivement, nous savons que si nous nous servions d'une certaine partie du corps, nous éprouverions de la douleur bien que nous n'ayons aucun souvenir d'en avoir jamais souffert.

Pour nous défendre de cette douleur occulte, nous prenons des attitudes qui, elles, créent des douleurs ailleurs. Et ce sont ces nouvelles douleurs dont nous souffrons consciemment que nous désirons faire soigner. Mais en fait il s'agirait, pour s'attaquer à la cause et non pas à l'effet, de chercher et de soigner la douleur occulte.

Déduction intellectuelle trop mystérieuse pour être vraisemblable ? Le croire serait mal connaître Françoise Mézières dont les découvertes sont toujours le résultat d'observations minutieuses et d'expériences de traitement réel.

Voici un des très nombreux cas décrits par Françoise Mézières où « le coupable » était la douleur occulte : « Une jeune femme souffre depuis onze ans de lombalgie-sciatique aiguë et aucun traitement (et elle en a tenté beaucoup) ne l'a soulagée, si bien que son cas a été décrété incurable. Mais depuis trois mois, elle est alitée par une crise aiguë. Nous devons la déchausser et la porter sur le tapis.

La mise en tension (allongée sur le dos, les jambes élevées à la verticale) est des plus pénibles. La malade s'agite et répète inlassablement : “J'ai mal, j'ai mal.” Nous remarquons que sa tête s'incline constamment à droite. Confiant alors ses jambes à la personne qui l'accompagne, nous palpons le cou et découvrons que la troisième et la septième cervicale sont très saillantes à droite.

A mesure que nous travaillons le cou, nous voyons la malade se calmer et notre aide s'étonne de ce que les jambes, qui la repoussaient fortement, s'allègent. Sans chercher à agir ailleurs, nous terminons la séance et donnons un rendez-vous à quinzaine à notre patiente, qui est surprise de pouvoir se remettre debout et se rechausser seule. Revue deux semaines plus tard, la malade marchait normalement[1]. »

Plus tard, quand j'eus mes propres patients et élèves, un incident dramatique me rappela le travail de Françoise Mézières sur la douleur occulte et me fit conclure que sa découverte pouvait s'appliquer aussi à la douleur psychique.

Un jour, je faisais exécuter à une jeune femme de très petits mouvements de la hanche. Destinés à lui révéler la souplesse possible de la région pelvienne, ces mouvements tout en douceur, qui consistaient à écarter et à refermer lentement les jambes, ne pouvaient faire de mal à personne.

Mais soudain elle poussa un cri de douleur extrême. Elle se roula sur elle-même en gémissant. J'étais d'autant plus perplexe de cette réaction que je supposais « hystérique », que je l'avais toujours trouvée plutôt calme, attentive au travail de son corps. Elle ne se plaignait que d'une certaine raideur des jambes, se trouvait « empotée » malgré sa belle allure.

Je l'enveloppai dans une couverture et j'attendis à côté d'elle. Après un long moment, elle se leva sans

1. F. Mézières, *op. cit.*, p. 8.

avoir l'air de souffrir, s'excusa de son comportement qu'elle ne pouvait pas mieux expliquer que moi.

Le lendemain matin, elle m'appela au téléphone. En rentrant chez elle après la séance, elle s'était effondrée. Crise de larmes. Tremblements. Étouffements. Un épisode crucial de son enfance, mais si douloureux qu'elle l'avait totalement réprimé, avait surgi, entier, dans sa mémoire. Et cela à cause d'un petit mouvement de la hanche !

Enfant, elle avait habité une grande maison dans un parc entouré d'une haute grille aux barreaux pointus. Un jour, elle jouait avec le jeune fils du gardien du parc. Pour l'épater ou à son instigation à elle – elle ne pouvait pas encore le dire – le garçon s'était mis à grimper sur la grille. Arrivé en haut, il avait glissé. La pointe d'un barreau lui avait percé le haut de la cuisse et le garçon était resté là, empalé, impuissant, hurlant sa douleur.

Quand les adultes arrivèrent, c'est elle qui fut accusée d'avoir encouragé le garçon à faire son exploit. Sa douleur était donc de sa faute à elle. Le garçon fut amené à l'hôpital. A son retour, on lui interdit de jouer avec lui. Elle le regardait de loin, n'osait pas s'en approcher ou même lui adresser la parole. Puis le garçon cessa d'exister pour elle. Elle oublia l'incident ou crut l'avoir oublié. Elle avait vécu normalement, ne souffrait de rien, sinon de cette rigidité des jambes.

En faisant les petits mouvements de la hanche, elle avait pour la première fois bougé cette partie de son corps qui était restée une zone morte depuis l'incident de la grille. Le cri qu'elle avait poussé était celui du garçon blessé. La douleur occulte dont elle souffrait sans le soupçonner, était la douleur d'un autre mais dont elle se sentait responsable.

Dans les séances suivantes, elle fit des progrès

rapides. Ses hanches, ses jambes se déliaient et elle découvrit enfin le plaisir de nager, de courir, de danser, de faire l'amour : plaisirs qu'elle s'était refusés auparavant par peur d'éveiller sa douleur occulte.

Dans le courant du mois passé chez Françoise Mézières, toutes les idées reçues que je venais d'apprendre à l'école furent renversées. J'y insiste. Mes idées ne furent pas simplement modifiées ou secouées ou amplifiées; elles furent renversées, mises hors d'usage. J'ai compris qu'il était impossible de concilier les idées de Françoise Mézières avec celles que j'avais apprises précédemment, impossible d'adapter ses découvertes aux pratiques traditionnelles. Son travail constituait une véritable révolution parfaitement opposée à l'ancien régime. Comme le corps humain, son travail est une totalité indivisible.

Mais pour apprécier pleinement Françoise Mézières, il faut la regarder travailler en corps à corps avec un malade. Pendant toute la séance, elle vit le corps de l'autre. Elle le capte dans son regard. Elle l'absorbe par sa concentration. Elle adopte son rythme respiratoire. Si un malade se plaint qu'elle lui fait mal, elle répond : « Je sais bien ; je souffre autant que vous. » Elle ne parle pas simplement de souffrance morale mais de la souffrance de ses propres muscles qui ne lâchent jamais leur prise, de ses mains qui ne se laissent pas vaincre par la rigidité la plus résistante.

Son rapport avec l'autre, je suis obligée de l'appeler « passionnel », tellement Françoise Mézières semble savoir exactement ce qu'il éprouve, tellement l'autre lui accorde sa parfaite confiance même pendant les longs moments de douleur extrême, et tellement son ambition pour lui – qu'il soit beau et libre – est celle qu'on n'a que pour ceux qu'on aime.

6

Fondations millénaires

Vous vous épuisez. Votre énergie, elle, ne s'épuise pas. Elle circule. De l'instant de votre conception jusqu'à celui de votre mort. Elle fait son trajet naturel à travers le labyrinthe hermétique de votre corps jusqu'à ce qu'elle rencontre un obstacle. Alors elle bute, ne continue plus son trajet, mais se détourne et se dissipe. Vous dites alors que vous êtes épuisé, que vous n'avez plus d'énergie. Mais vous l'avez, l'énergie. Elle est là. Seulement vous l'empêchez de vous servir de la manière la mieux appropriée à votre bien-être. En l'obligeant à se détourner, vous la tournez contre vous-mêmes.

C'est notre énergie donc qui donne à notre corps son unité en animant chaque organe, tous en mouvement eux aussi. Nous avons déjà vu comment la prise de conscience du corps comme une totalité dont chaque élément dépend de l'autre est nécessaire à l'équilibre et à la santé de l'être. Maintenant il est temps d'aller plus loin.

Il est temps de nous souvenir d'une réalité que les préoccupations de notre civilisation nous font souvent négliger. Il est temps de prendre conscience du rapport entre le Tout qui est notre corps et le Tout qui est l'Univers, entre le mouvement continuel des organes de notre corps et le mouvement de la terre et du soleil. A notre époque nous cherchons tellement à progresser que notre regard est toujours porté devant nous. Nous sommes tellement intéressés par la spécialisation que notre champ de vision est devenu étroit. Et si nous ouvrions les yeux sur ce qui ne « progresse » pas, si nous regardions autour de nous les phénomènes immuables ?

Nous observerions que le rythme cosmique qui règle les cycles du soleil et de la lune, le jour et la nuit, les saisons, est le même auquel obéit le mouvement de notre énergie vitale. Nous observerions que notre corps, sans attendre le consentement de notre « intelligence », reconnaît les lois cosmiques et s'y soumet. Et quand nous aurons compris comment notre corps vit sa vie, nous serons peut-être prêts à l'aider à fonctionner au mieux en le soignant et en l'entretenant par des méthodes qui tiennent compte de son rapport avec la nature.

Souvent ceux qui vivent près de la nature reconnaissent plus facilement que leur corps en fait partie. Ma grand-mère, par exemple, qui était de la montagne et à qui les femmes du village faisaient appel pour leurs accouchements, savait d'avance quelle nuit elle aurait à se lever : elle n'avait qu'à compter les changements de lune. Elle m'apprit aussi que ces changements perturbaient la régularité des cycles ovariens. Elle se gardait bien de semer ses légumes à racine à la lune montante ou de couper ses cheveux à la lune décroissante, si elle voulait que la repousse soit abondante.

Les physiologistes classiques ont observé que chaque organe reçoit sa ration d'énergie selon les heures du jour et selon les saisons. Que les crises d'asthme aient lieu le plus souvent à l'aube n'est pas dû au hasard mais au fait que c'est vers trois heures du matin que les poumons sont au summum de leur activité. Les accidents cardiaques sont les plus fréquents vers midi : l'heure énergétique maximale du cœur. Le gros intestin reçoit sa plus forte ration d'énergie entre cinq et sept heures du matin, ce qui explique la normalité des selles matinales...

Récemment des chercheurs ont découvert que l'énergie – loin d'être une substance abstraite ou un concept mystique – est en fait une réalité qui, bien que normalement invisible à l'œil nu, est photographiable. Le travail du Russe Kirlian donne la preuve visuelle de l'existence d'une force énergétique qui anime chaque corps – animal ou végétal – vivant. Photographiée, cette énergie se voit comme un halo aux couleurs vives à la surface du corps, rappelant l'auréole traditionnellement peinte autour de la tête des saints. Appelée une « aura », ce halo perd de son intensité et change de couleur quand l'organisme est souffrant. D'autres chercheurs ont constaté que les endroits du corps humain qui émettent la lumière la plus brillante correspondent aux points utilisés depuis toujours par les acupuncteurs.

Mais on photographie quoi, exactement ? D'où émane cette luminosité ? De la surface de l'organisme, de sa peau. De sa peau ? dites-vous. Mais il n'y a rien de plus banal, rien de plus familier que notre peau. C'est exact, mais notre peau ne sert pas seulement à envelopper nos organes internes ; elle leur donne une surface continue sur laquelle circule l'énergie qui les anime. Vous insistez : notre peau, c'est notre peau, et nos organes internes sont nos organes internes ; il ne faut pas confondre. Je vous réponds que la confusion vient justement de cette vision partielle et séparatiste du corps. L'unité corporelle ne se limite pas à une conscience de l'interdépendance de l'avant et de l'arrière du corps. Il faut comprendre aussi le rapport entre l'intérieur du corps et l'extérieur. En fait, les organes internes se « projettent » sur la peau et peuvent être soignés depuis la peau par des techniques qui ont leur source dans une médecine vieille de 5000 ans : la médecine chinoise.

Quand le rythme naturel de la circulation de l'énergie est perturbé par une cause interne, un excès alimentaire, par exemple, ou externe, un brusque changement climatique, l'organisme sain met en marche son propre système de régulation. Il suffit d'attendre que « ça passe ». Mais il arrive que ce système naturel de régulation soit débordé, incapable de faire face au désordre. L'énergie alors est détournée, dispersée. Il y a un trop-plein dans certaines régions, une pénurie dans les autres. Le fluide énergétique ne peut plus suivre son itinéraire naturel. Telles des écluses, les « points d'acupuncture » se situent tout le long de cet itinéraire et c'est par la régulation de ces écluses que la médecine chinoise assure la circulation normale de l'énergie à travers le corps entier.

Mais comment une petite piqûre d'épingle sur un point très précis de la peau peut-elle rétablir la circulation interrompue ? C'est que la frontière qui nous unit – ou nous sépare – du cosmos, c'est justement notre enveloppe : notre peau. C'est à la surface de la peau que circule l'énergie et c'est à la surface de la peau que se « projettent » nos organes profonds : cœur, poumons, reins, foie[1]...

1. Il est bien entendu que l'énergie circule aussi en profondeur, d'où l'usage par certains médecins de longues aiguilles qui peuvent transpercer le corps.

Ainsi par une mathématique rigoureuse, en combinant deux ou trois points sur la surface de la peau (on en compte près de 700), l'acupuncteur peut soulager spectaculairement et guérir les organes malades éloignés de ses aiguilles. D'ailleurs chez les grands acupuncteurs, l'élégance est même d'agir à distance, en évitant un traitement local trop direct. Et contrairement à une opinion courante, ce n'est pas avec un grand nombre d'aiguilles que l'on obtient le meilleur résultat ; l'élégance consiste aussi à combiner les points de telle sorte qu'on en placera le moins possible.

Depuis toujours, l'acupuncture est la médecine préventive par excellence. Les mandarins de la Chine ancienne payaient leurs médecins pour qu'ils les gardent en bonne santé et suspendaient leurs paiements dès qu'ils tombaient malades.

Le travail avec aiguilles doit être réservé aux médecins acupuncteurs. Il est possible cependant de soigner les désordres vertébraux et les contractures musculaires (et nous avons vu que d'après Mézières tout peut être affaire de muscles) par massage sur les points utilisés en acupuncture. Appelé en France « micro-massage » et en Amérique « acupressure », il s'agit de masser (selon la tradition chinoise) avec le pouce ou avec le plat de l'ongle de l'index fléchi.

Dans la mesure où, parmi les points longeant les deux côtés de la colonne vertébrale, se trouvent aussi ceux qui concernent les viscères, le fonctionnement interne de l'organisme s'améliore quand on soigne les désordres vertébraux. Il se peut aussi qu'en soignant une main ou un bras on améliore le fonctionnement des intestins ou du cœur ou des poumons dont les méridiens passent par la main.

A l'exception de quelques points interdits que l'on ne masse jamais, ce massage est sans danger. Il est important cependant de ne jamais masser sur une peau enduite d'un corps gras qui est un isolant, ce qui rendrait le travail inefficace ; ne jamais masser non plus s'il y a lésion de la peau.

On trouve de nombreux petits manuels d'acupressure destinés à un public de non-professionnels. Il est vrai que le micro-massage donne des résultats spectaculaires, mais il demande une connaissance parfaite de l'anatomie et une extrême précision dans le repérage des points pour atteindre la racine du mal et guérir durablement. Toutefois, voici quelques massages que vous pouvez pratiquer pour vous soulager rapidement, sans avoir recours à aucun médicament. Bien sûr, il est toujours recommandé de consulter votre médecin auparavant.

Certains des points utilisés en micro-massage semblent liés aux traditions les plus diverses, sans aucun lien apparent avec la Chine. Par exemple, en France au Moyen Age, le croque-mort « croquait » vraiment les morts, c'est-à-dire qu'il mordait l'extrémité du 5ᵉ doigt du présumé cadavre pour être certain qu'il fût bel et bien mort. Or, il se trouve un point de réanimation justement à l'angle de l'ongle du 5ᵉ doigt, sur le méridien du cœur. A New York, les Iroquois sont très appréciés dans les équipes de construction des gratte-ciel parce qu'ils ne souffrent jamais de vertige. Il s'avère que depuis des générations tous les Iroquois mâles sont tatoués au même emplacement sous le genou qui correspond parfaitement en acupuncture au San Li : un point très important contre la fatigue, l'impuissance, et aussi, le vertige.

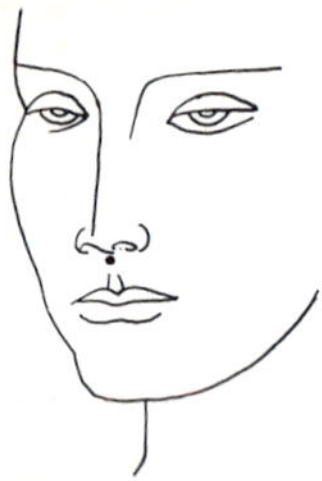

Choe Keou. Point de réanimation. Se trouve à la racine du nez, sur le haut de la lèvre supérieure. Pincer hardiment entre le pouce et l'index. Très utile en cas de syncope, ce massage peut rendre grand service en attendant le médecin.

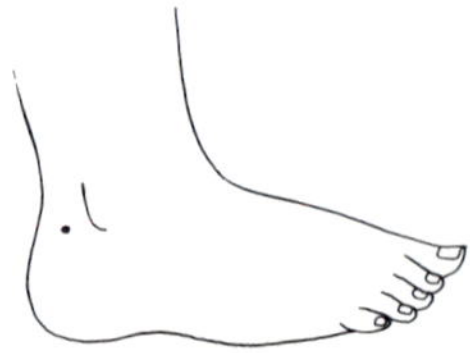

Kroun Loun. Point « aspirine » pour soulager toutes les douleurs où qu'elles se situent. Se trouve sur la face externe du pied, au-dessus de l'os calcanéen entre la malléole externe (os de la cheville) et le tendon d'Achille. Masser avec l'ongle.

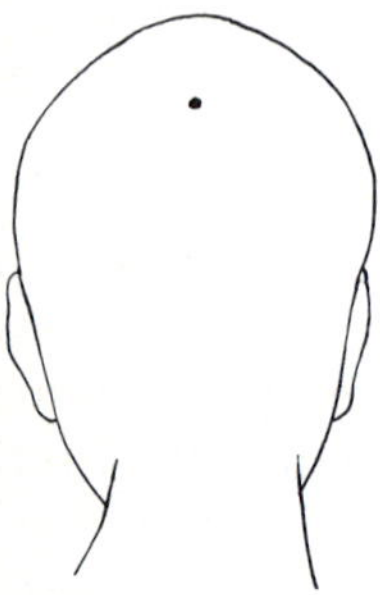

Paie Roe. Point pour stimuler la mémoire et l'intelligence. Se trouve sur la fontanelle en passant par la ligne médiane du crâne. Masser avec l'extrémité d'un doigt. (L'on peut difficilement appeler « coïncidence » le fait que ce point est aussi le « point de départ » de la tonsure des prêtres catholiques, du chakna des hindous supérieurs, de la natte par laquelle les Chinois étaient censés être tirés vers le ciel.)

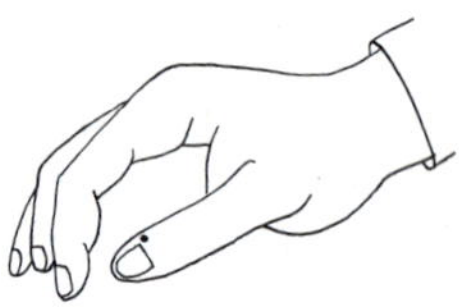

Chao Chang. Point pour soigner les maux de gorge. Se trouve au coin inférieur de l'ongle du pouce (côté index) de chaque main. Appuyer avec le tranchant de l'ongle de l'index. En cas de début d'angine, avaler sa salive en même temps qu'on appuie et répéter 2 ou 3 fois au cours de la journée. A utiliser aussi chez le dentiste aux moments de douleur aiguë. (Ne dispense pas d'une visite chez le dentiste cependant.)

A l'aide de ces brèves descriptions de l'acupuncture et du micro-massage, on peut donc voir comment il est possible de débloquer l'énergie et de lui permettre de suivre son circuit naturel à travers les organes du corps en agissant non pas sur les organes eux-mêmes mais sur leurs projections sur l'enveloppe du corps.

Il existe d'autres techniques, peut-être plus étonnantes encore, où les organes internes sont projetés non pas sur toute la surface de la peau, mais sur une partie seulement.

Le Dr Nogier, m'a-t-on dit, vit un jour un homme qu'il connaissait sonner à la porte, plié en deux par un lumbago. En geste de réconfort et de sympathie, il lui pinça familièrement l'oreille et fut étonné de voir l'homme se redresser immédiatement, soulagé et souriant.

Ce médecin venait de redécouvrir un traitement datant de l'Antiquité. La cautérisation du pavillon de l'oreille pour soulager certaines névralgies fut pratiquée il y a plus de 2 000 ans. On ne sait pas très bien si son origine est chinoise, perse ou égyptienne.

Depuis qu'il a fait sa découverte empirique il y a vingt ans, le Dr Nogier a développé l'auriculothérapie, à l'aide d'une longue série d'observations et d'expériences, en s'appuyant sur des données neurophysiologiques. Je ne décrirai pas ici les détails de cette thérapeutique qui ne doit être pratiquée que par des médecins spécialisés qui procèdent par piqûres d'aiguilles sur les points situés sur le pavillon de l'oreille. Je voudrais simplement attirer l'attention sur la ressemblance entre la configuration de l'oreille et celle du fœtus.

Vous comprendrez alors que toutes les projections des parties du corps sont inversées : ce qui est en bas

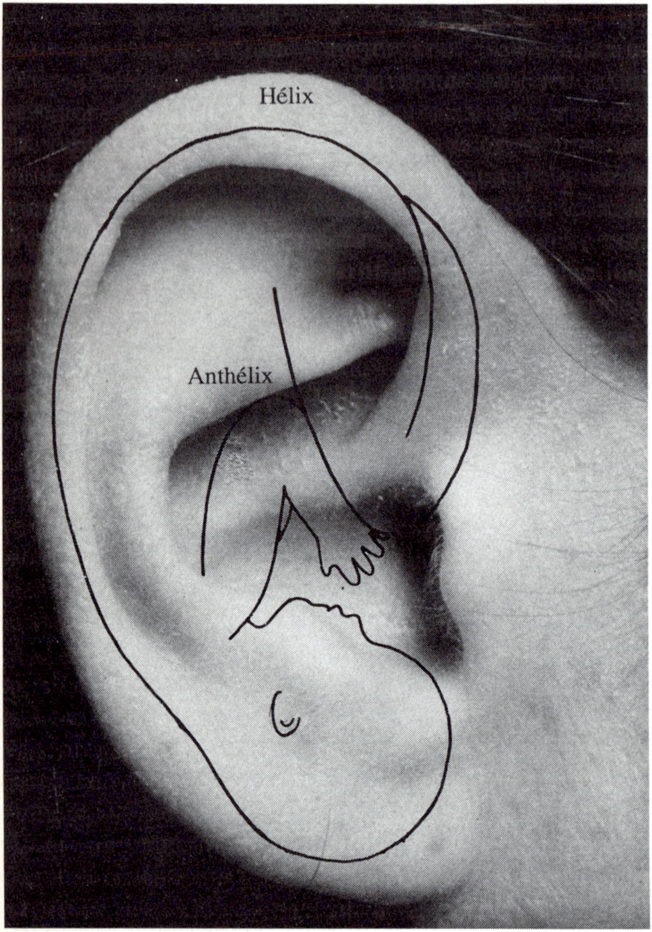

Photo Martin Fraudreau

sur l'oreille correspond à ce qui est en haut sur le corps. La colonne vertébrale se projette le long de l'anthélix ; les pieds, les mains et les membres en dehors de celui-ci ; les viscères dans la conque.

Vous serez peut-être plus surpris d'apprendre que tous les organes du corps se projettent aussi sur la peau du dessous des pieds ! Car qui d'entre nous s'intéresse au dessous de ses pieds à moins qu'il ne s'y loge un cor ou un cal (indiquant que le poids du corps est mal réparti et que la zone cornée proteste contre cet excès de charge) ?

Loin d'être « l'objet de soins constants », le pied est souvent négligé, méprisé même. Mais peut-être que notre mépris du pied se transformerait en respect si nous considérions la plante comme une projection en miniature précise et complète de notre corps tout entier. Chaque pied est partagé par une ligne horizontale qui correspond à la taille. L'emplacement des projections des organes sur le dessous du pied est la réplique de l'emplacement des organes dans le corps. Le cœur, à gauche dans le corps, se projette dans le pied gauche ; le foie, à droite, se projette dans le pied droit. (Vous pouvez trouver dans les paumes de vos mains les mêmes projections, mais les mains, constamment exposées, sont moins sensibles.)

Bien sûr si vous souffrez d'une maladie grave ou persistante vous devrez consulter votre médecin et non pas vous lancer dans des soins improvisés. Mais soigner en massant les projections des organes sur le dessous des pieds est une méthode dont la source est tout aussi ancienne que l'acupuncture et le micro-massage et chacun peut s'en servir facilement pour soulager certains maux courants. En Amérique, grâce au livre *Stories the feet can tell* (Histoires que peuvent

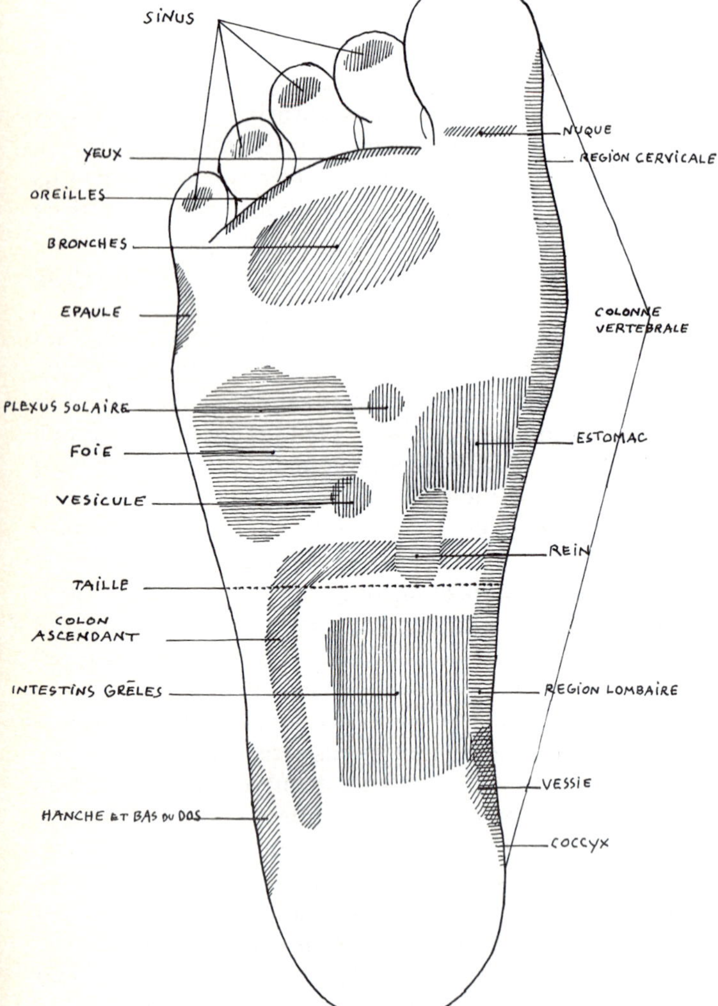
SINUS
YEUX
OREILLES
BRONCHES
EPAULE
PLEXUS SOLAIRE
FOIE
VESICULE
TAILLE
COLON ASCENDANT
INTESTINS GRÊLES
HANCHE ET BAS DU DOS
NUQUE
REGION CERVICALE
COLONNE VERTEBRALE
ESTOMAC
REIN
REGION LOMBAIRE
VESSIE
COCCYX

PIED DROIT

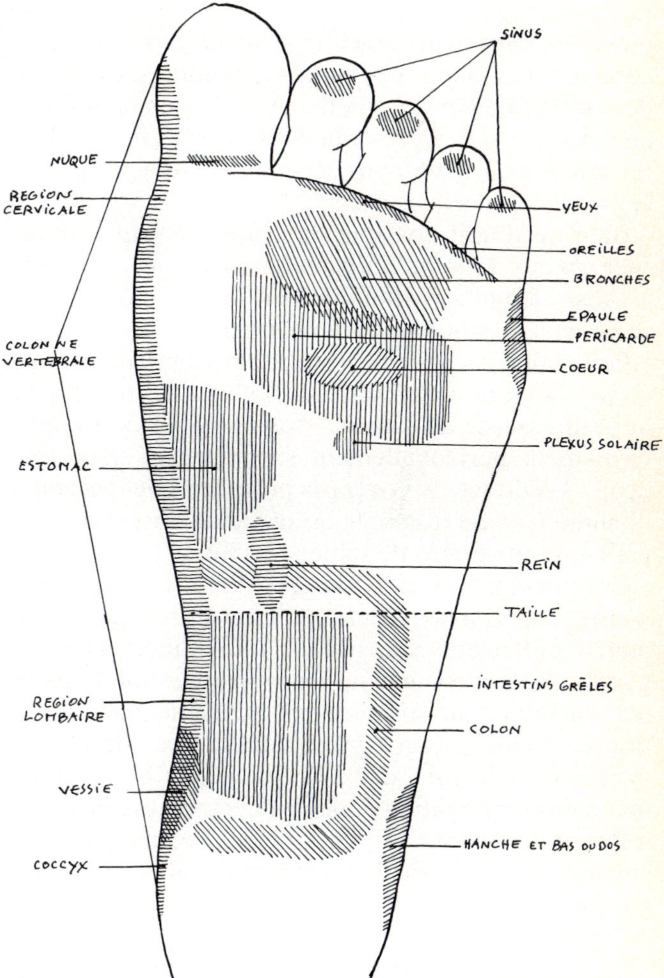
SINUS
NUQUE
REGION CERVICALE
YEUX
OREILLES
BRONCHES
EPAULE
PERICARDE
COLONNE VERTEBRALE
COEUR
PLEXUS SOLAIRE
ESTOMAC
REIN
TAILLE
INTESTINS GRÊLES
REGION LOMBAIRE
COLON
VESSIE
HANCHE ET BAS DU DOS
COCCYX

PIED GAUCHE

raconter les pieds) par Eunice Ingham, une masseuse pionnière dans la matière en Occident, cette technique connaît un grand succès auprès du public sous le nom de « réflexologie ». Actuellement, de grands posters, en vente partout, représentant les dessous des pieds et les organes qui y sont projetés, portent le titre : « Massez-vous les uns les autres. »

Bien qu'il soit possible de pratiquer seul ce massage, mieux vaut, effectivement, s'allonger, se mettre à l'aise, défaire éventuellement des vêtements trop serrés et se confier à une main amie.

Pour faire ou pour faire faire un examen de votre corps entier, un pouce suffira. Il s'agit de frotter avec le bord externe du pouce – sans toucher de l'ongle, fermement, horizontalement, sans appuyer en profondeur – la surface de vos pieds pour y trouver les zones douloureuses où il semble qu'un dépôt cristallin ou un petit amas de grains de sable s'est formé sous la peau.

Ce massage est sans danger, mais il faut quand même se méfier des réactions. Trop de zèle peut avoir pour résultat une diarrhée ou un écoulement nasal genre coryza. Personne ne sait trop pourquoi. Mais on peut imaginer que stimuler trop activement la circulation du fluide énergétique engendre une stimulation excessive générale dans l'organisme. Un premier massage d'exploration donc ne devra pas excéder cinq à dix minutes pour les deux pieds. Les massages de soins ne doivent pas être renouvelés plus d'une fois par jour.

Commencez à droite par le gros orteil, puis avancez vers la zone des sinus, des yeux, continuez vers les oreilles, les bronches, les poumons, le foie. Attention au foie. Placé à droite dans le corps un peu au-dessus de la taille, il est un réservoir de sang important, responsable d'une douzaine de fonctions vitales pour l'organisme. Il n'est pas rare de trouver douloureuse sa projection sur le pied, même si le foie lui-même n'est pas source de douleur. Une de mes patientes, ayant massé elle-même chaque jour avec un peu trop d'enthousiasme la zone du foie, déclencha le quatrième jour une diarrhée si forte qu'elle ne put sortir de chez elle. Il faut laisser au corps le temps de s'adapter au changement, ne jamais le forcer... même « pour son bien ».

Vous remarquerez que la projection de la colonne vertébrale se répartit sur les deux pieds. Je suis toujours étonnée de trouver fidèlement le long du bord interne, la réplique de chaque zone contracturée, de la nuque au coccyx.

Quand vous arrivez à la zone correspondant aux intestins, faites attention à ne pas masser à l'envers, mais toujours dans le sens des aiguilles d'une montre de façon à ne pas perturber les mouvements péristaltiques du tube digestif.

C'est ainsi qu'en appliquant le pouce contre la plante du pied et en y provoquant cette sensation particulière d'avoir un dépôt cristallin sous la peau vous pouvez découvrir les parties affaiblies de votre corps, des séquelles de maladie, des dysfonctionnements chroniques. Non seulement l'état actuel de votre organisme « se lit » dans le pied mais son avenir aussi, car il est possible de discerner une douleur qui indiquerait une prédisposition à une maladie. Mais le diagnostic est du domaine des médecins. Surtout pas de diagnostics sauvages !

Voilà. Dans ces quelques pages j'ai essayé de vous donner, à travers certaines thérapeutiques très anciennes, une vision nouvelle du corps. J'espère que vous essayerez ces méthodes et que, même si aujourd'hui elles vous semblent invraisemblables, leur efficacité vous convaincra de leur vérité profonde. Car non seulement il est vrai que le corps est une unité indivisible et inséparable de celle du cosmos, mais la prise de conscience de cette vérité est indispensable à son équilibre, sa santé. Si je me permets d'avoir une telle certitude c'est que mon expérience professionnelle ne me laisse aucun doute, donc aucun autre choix.

7

Clefs, serrures, portes blindées

Coup de fil d'un vieil ami psychanalyste. Avant d'entreprendre l'analyse d'un jeune homme, il propose de me l'envoyer pour un travail corporel. De quoi souffre ce jeune homme ? D'impuissance, me dit-il.

Déconcertée, je lui réponds qu'il semble prêter bien des pouvoirs à mes méthodes. « On verra bien, dit-il. Tenez-moi au courant. »

Le lendemain, je vois arriver un garçon de vingt ans, bronzé, l'air sportif, très sympathique. J'aurais dit beau, mais quelque chose me faisait hésiter. Il avait, bien entendu, consulté son médecin de famille : rien d'anormal au niveau du corps. Alors ça doit être dans la tête : une analyse s'impose. Devant l'évidence, il hausse les épaules. Un petit mouvement étriqué. Ses épaules semblent rétrécies, tirées en avant par une musculature nouée. Il tient les bras écartés du corps. Je lui demande de les lever. Il a du mal à monter les bras au-delà des épaules car ils sont retenus par ses pectoraux rétractés. Il a la nuque très raide, de la difficulté à tourner la tête de droite à gauche. Mais il y a autre chose. Le regard. Il est aussi figé que la nuque. Les yeux ne bougent pas indépendamment de la tête et la tête bouge peu. Est-ce pour cela que j'ai hésité à dire qu'il était beau ?

N'ayant aucune idée de comment soigner l'impuissance, je décide de soigner ce que je peux et je l'inscris dans un groupe.

Au cours des semaines suivantes, l'extrême gaucherie du haut de son corps se révèle dans le mouvement. Non seulement il n'arrive pas à bouger les yeux indépendamment de la tête, à tourner, par exemple, la tête à droite et les yeux à gauche, mais il ne peut non plus faire l'effort de soulever une épaule sans que le cou et la tête bougent aussi... de façon à ce que le mouvement de l'épaule soit entravé ! Ainsi, quand je lui demande de se coucher sur le sol et de soulever l'épaule le plus haut possible en se servant de toutes les parties du corps nécessaires, au lieu de laisser rouler la tête librement dans la même direction que l'épaule, il la tourne vers l'épaule et l'empêche de se soulever. Quant à son bassin, on aurait dit qu'il était soudé. Il ne pouvait pas le soulever du sol sans que le corps, des omoplates jusqu'aux genoux, se soulève aussi comme une planche rigide, sans charnières.

En groupe, il semblait très gêné chaque fois qu'il était question de travailler la « partie inférieure » du corps, et parfois restait immobile, sans participer du tout. Mais il se lançait « sans complexes » dans l'assouplissement de sa « partie supérieure ». Alors, pendant plusieurs mois, je l'aidai à dénouer ses épaules, sa nuque, à retrouver son regard. Ce fut lent, mais peu à peu nous observions tous les deux des progrès considérables. Quant à son impuissance, nous n'en avions plus jamais parlé depuis notre premier entretien. J'avais complètement oublié que c'était sa raison d'être venu, jusqu'au jour où mon ami psychanalyste me rappela.

« Félicitations.

– Comment ?

– Ça y est. M. est guéri. Mais il n'ose pas encore vous le dire.

– M. ? Le jeune homme qui n'avait pas de regard ?

– Mais non, le jeune homme impuissant. Mais dites-moi ce que vous lui avez fait.

– Je lui ai fait comprendre que sa tête, son cou, ses épaules, ses bras étaient tenus dans un harnais serré que lui seul pouvait délier.

– Je ne comprends pas. »

Mais moi si. J'avais compris à l'instant même. Le travail effectué sur ce jeune homme correspondait parfaitement à une théorie que j'avais lue mais que je n'avais jamais consciemment mise en pratique. Ainsi j'avais « fait de la prose sans le savoir ».

Je dis à mon ami :

« C'est dans Reich. Dans *La Fonction de l'orgasme* et dans *L'Analyse caractérielle*. Vous les connaissez mieux que moi sans doute.

– Wilhelm Reich ? Ah oui ! J'ai lu ça autrefois. Mais vous n'avez quand même pas enfermé notre ami M. dans une boîte à orgone ! »

Puis, toujours hilare, il s'excusa car son prochain patient arrivait et raccrocha.

Wilhelm Reich est mort en 1957 dans une prison en Pennsylvanie aux États-Unis où il avait été enfermé pour charlatanisme. Aujourd'hui, ses théories sur la circulation de l'énergie (qu'il appelait des courants bio-végétatifs ou de l'orgone) sont compris comme correspondant aux circuits tracés par des points classiques de l'acupuncture. Aujourd'hui, la circulation d'énergie dans tout corps vivant – animal ou végétal – est confirmée par des preuves neurophysiologiques incontestables (cf. p.126).

D'après Reich, nous entravons la libre circulation de notre énergie à travers la totalité de notre corps en créant des « cuirasses » musculaires, des zones rigides, mortes, qui nous encerclent, tels des anneaux, à différentes hauteurs du corps. Pour nous défendre contre l'angoisse ainsi que contre le plaisir, contre toute sensation, nous bloquons la circulation de notre énergie, comme M. par exemple, au niveau des yeux, du front, au niveau des épaules, au niveau du ventre ou au niveau du diaphragme (comme le font cette grande majorité de personnes qui respirent superficiellement et se privent d'oxygène). Et ce sont ces blocages, ces braquages qui sont à l'origine de nos maladies, de nos malaises, de nos paralysies de toutes sortes.

Mais souvent nous ne comprenons pas le rapport entre notre maladie et notre cuirasse qui, elle, peut être loin de la partie du corps dont nous nous plaignons. Comme dans la douleur occulte décrite par Françoise Mézières, nous sommes conscients de souffrir d'une chose, mais l'origine de nos souffrances est ailleurs. Comme toujours il s'agit de trouver et de soigner la cause et non pas l'effet. Ainsi M. se plaignait d'impuissance, mais son blocage (dont au départ il n'avait aucune conscience et que son psychanalyste, qui ne s'intéressait qu'à « l'intérieur » de sa tête, n'avait pas remarqué non plus) se situait à partir et au-dessus de ses épaules. Une fois que son énergie, bloquée jusqu'alors dans le haut de son corps, fut libérée et put circuler, le bas de son corps put en bénéficier et son symptôme, l'impuissance sexuelle, disparut. Reich, d'ailleurs, dit qu'il est « impossible d'établir une motilité végétative dans le pelvis avant que la dissolution des inhibitions dans les parties supérieures du corps n'ait été accomplie ».

C'est grâce au cas de M. que j'ai dû constater que les problèmes sexuels ne se soignaient ni forcément au niveau des organes génitaux ni forcément en dévoilant l'Inconscient par les moyens fragmentaires de mots, de souvenirs et de symboles. Le premier pas vers la solution de ces problèmes si complexes consiste peut-être tout simplement à prendre conscience du corps dans sa totalité. Car, qu'on l'appelle orgone, courant végétatif ou yin yang, il faut bien tenir compte du fait que dans tout corps vivant une énergie circule, tant bien que mal, et qu'en l'entravant, nous en subissons, d'une manière ou d'une autre, les conséquences.

A partir de mon expérience « accidentelle » avec M., j'ai compris que le travail de Reich devenait utilisable pour moi à travers la méthode Mézières. Car les découvertes de Françoise Mézières – qui ne connaissait Reich que sommairement et ne s'y intéressait pas – confirment et approfondissent certaines de ses théories. Grâce à sa connaissance parfaite du corps humain, Françoise Mézières a pu comprendre et donner des preuves anatomiques que nos détresses et déformations proviennent d'une mauvaise distribution de notre énergie et que les blocages, qui se manifestent dans la partie antérieure du corps, sont causés par un excès de force de notre musculature postérieure.

Quand Françoise Mézières dit que nous sommes laids, mal à l'aise et malades parce que nous nous tenons arqués en arrière, le ventre poussé en avant, elle décrit la position de défense qui est pour Reich exactement le contraire de l'attitude libre et naturelle nécessaire à l'orgasme. (Se défendre n'est-il pas exactement le contraire de se laisser aller ?) La position du ver de terre, du lapin, par exemple, ou de l'embryon, c'est-à-dire, une courbe continue en avant, la bouche et l'anus s'approchant, cette position souple, possible seulement quand les cuirasses sont abandonnées (et quand la musculature postérieure est déliée), est la seule qui, d'après Reich, permet la libre circulation de l'énergie et le mouvement ondulatoire de l'orgasme. Françoise Mézières en décrit l'équivalent quand elle évoque le corps sain et souple, au repos dans un hamac.

Plus tard, j'ai eu l'occasion de guérir un cas d'impuissance « sans le faire exprès » en utilisant la méthode Mézières. Un homme d'une cinquantaine d'années se plaignait de douleurs au ventre. Il se croyait « mangé de l'intérieur » par un mal inconnu et certainement mortel car sur le devant de son corps, il y avait un « grand trou ». Il m'avait été adressé pour « remusculation de la ceinture abdominale ». On aurait pu passer deux pouces entre ses grands droits (muscles qui s'insèrent sur le sternum et les côtes et descendent verticalement jusqu'au pubis). Tout le dos était contracturé et douloureux à la pression.

En fait, son « grand trou » était plus grand encore qu'il ne pensait. Il commençait au sternum et continuait jusqu'au sol, car la raideur postérieure de ses jambes l'empêchait de les joindre et elles restaient toujours écartées. (Mais cela il ne l'avait pas remarqué !)

Au bout d'un an de traitement par la méthode Mézières, ses muscles dorsaux et ischiojambiers commençaient à bien lâcher prise et sa « maladie mystérieuse » s'estompait. Le grand trou se bouchait peu à peu sur tout le devant de son corps. Un jour je le félicitai de ses progrès. Il devint rouge jusqu'aux oreilles et chuchota : « Mais ce n'est pas tout. Vous savez, qu'après cinq ans, j'ai "retrouvé" ma femme. » Il me fixa longuement pour voir si j'avais compris. Ses propos ne me surprenaient guère car ses dorsaux étaient devenus plus élastiques et les adducteurs des jambes avaient lâché prise. La peau de son dos était devenue plus lisse, plus vivante, le ventre plus tonique, ainsi que le devant des cuisses. Alors pourquoi pas les organes génitaux ?

Et les femmes ? Et ce problème avoué, inavoué, chronique, occasionnel, présumé, assumé, individuel, universel, ce « faux problème » dans lequel tant de femmes expriment leur vérité profonde : la frigidité.

Des femmes officiellement étiquetées « frigides » m'ont été envoyées par quelques médecins, gynécologues ou psychanalystes. Parce que « la gymnastique ça ne leur fera pas de mal et puis ça distrait, ça occupe, ça fait dépenser de l'énergie ». (Ne comprendront-ils jamais que la gymnastique c'est exactement ce que je ne fais pas ?)

Des femmes qui doivent certainement être ce qu'on s'acharne à appeler frigides, bien qu'elles ne s'en plaignent pas ouvertement (tout au moins pas à moi), j'en vois tous les jours dans mes groupes, dans la rue, dans les réunions, partout.

Mais qu'est-ce qu'elles ont toutes, ces femmes ? Qu'est-ce que c'est que cette célèbre frigidité ? La frigidité, en un mot, c'est la rigidité. Elles ne sont pas froides, ces femmes, elles sont roides.

Non, mon attitude n'est pas cavalière. Non, je ne suis pas sans compassion, sans compréhension. Non, je ne me force pas à être simpliste. Non, je ne suis pas déloyale. Je suis féministe et je préconise la mobilisation des femmes. Mais non pas seulement en cellules militantes. Je préconise la mobilisation – la mise en mouvement – de chaque corps de chaque femme. Car ce n'est que de l'intérieur de son corps, de son corps mobile, vivant, qu'elle peut trouver sa force, la possibilité de son bonheur.

Aujourd'hui, une femme qui proclame : « Mon corps est à moi » se fait souvent des illusions. Ce n'est pas parce que son corps n'est plus à lui – le mâle opprimant – que son corps est forcément à elle. Pouvoir dire « mon corps est à moi » suppose qu'à travers la prise de conscience de son corps la femme en a pris possession. Pour que son corps soit à elle, il faut qu'elle en connaisse les désirs et les possibilités et qu'elle ose les vivre. C'est seulement quand elle se vit qu'une femme (ou un homme d'ailleurs) refuse de ne pas être « vécu ». C'est seulement quand on se connaît profondément que l'on refuse de ne pas être « connu » et que l'on cherche enfin à connaître l'autre.

Aujourd'hui, quand une femme se croit frigide, elle quitte parfois le partenaire censé être la cause de son insatisfaction et réclame ce qu'elle se plaît à appeler « la liberté sexuelle ». Elle recherche ou des hommes plus sensibles ou plus imaginatifs ou d'autres femmes et croit pouvoir, à travers eux, découvrir son corps, le vrai.

Parfois, ce changement est efficace. Effectivement, c'était l'autre qui l'empêchait de se révéler à elle-même. Mais c'est rare. Le plus souvent, elle se retrouve tôt ou tard devant le même problème. Sa vie, elle ne la vit toujours pas parce qu'elle ne vit toujours pas son corps. Elle n'a pas choisi ses nouveaux partenaires en toute liberté et en fonction de ses goûts véritables. Elle ne sait pas ce qu'elle aime ; tout ce qui est certain est qu'elle n'aime pas son corps. Insatisfaite et ne sachant pas se satisfaire, elle se croit « tordue », mais ne se rend pas compte qu'elle est sa propre tortionnaire.

Comment cela se passe-t-il quand un gynécologue m'envoie une femme qui se plaint de frigidité bien qu'il n'ait trouvé aucune raison physiologique : pas de vaginite, pas d'obstruction quelconque ?

Je l'inscris dans un groupe pour qu'elle ne se sente pas isolée dans un problème obsédant, honteux, et pour qu'elle découvre dans le mouvement comment elle vit ou plutôt comment elle ne vit pas dans son corps.

Quand elle est allongée sur le dos par terre, une des premières choses que je remarque chez une femme dite frigide est que le mouvement de ses côtes est presque invisible. Elle ne respire pas. Le diaphragme est raide, immobile, noué dans le dos et figé sur le devant. On dirait que depuis des années elle ne s'en sert qu'à peine. Elle ne s'offre pas l'oxygène nécessaire à produire une énergie suffisante. A travers son corps, sa petite énergie minimale circule si mal qu'elle dit souvent qu'elle n'a pas d'énergie ou en tout cas pas la dose normale. Comme si l'énergie venait de l'extérieur et qu'elle n'en recevait pas assez. Mais l'énergie on la produit, et l'oxygène, l'élément combustif nécessaire à sa production, on ne le reçoit pas. On le prend. Comme le plaisir.

Je me souviens de la réponse de Mme Ehrenfried à une fille qui se plaignait de frigidité et demandait s'il n'y avait pas quelque chose à faire. Mme Ehrenfried leva un sourcil ironique et, sur une longue expiration, lui dit : « Res...pi...rez... »

D'après Reich : « L'expiration profonde produit spontanément l'attitude de l'abandon (sexuel)[1]. » D'ailleurs n'importe qui peut se le prouver à tout instant. Expirez pleinement, longuement et votre région pelvienne se met à rouler en avant... si vous voulez bien admettre que vous avez une région pelvienne et qu'elle est mobile.

Mais revenons au groupe et à notre femme frigide allongée sur le dos. Je demande à tout le monde de plier les genoux et de placer les pieds à plat sur le sol. Puis de basculer le bassin en avant, vers le plafond. Chez la femme frigide, il y a confusion totale. Comme M., le jeune homme sans regard, elle concentre sa force, pousse des pieds et soulève son corps entier depuis les omoplates. Si elle est très ambitieuse, elle le soulève depuis les épaules, depuis le crâne. Et le bassin ? Il est là, suspendu, rigide, quelque part au milieu de cette longue planche qu'elle appelle son corps.

Nous recommençons. On se remet à plat dos, les genoux toujours pliés, les pieds toujours par terre. Je demande qu'on prenne son temps, qu'on cherche – en tâtant, s'il le faut – le bassin. Où commence-t-il ? Où finit-il ? Où est-il attaché par des muscles et des os à l'ensemble du corps ? Comment s'articule-t-il ? J'attends. Je vois qu'on gigote un peu, qu'il y a des expressions de perplexité, des grands efforts de concentration. Je demande qu'on bascule en avant le bassin, seulement le bassin.

La femme frigide ne bouge pas. Son bassin à elle, il n'avance pas indépendamment de ses cuisses ou de son abdomen. Non seulement il n'avance pas ; il

1. W. Reich, *op. cit.*, p. 260.

recule ! Son dos est cambré, son pelvis rétracté refuse le mouvement en avant et vers le haut. L'attitude naturelle de l'orgasme, cette courbe continue en avant, ce mouvement ondulatoire qui fait se rapprocher tête et pubis, elle ne peut pas le faire, elle ne sait pas qu'elle peut le faire, elle se le refuse. Son bassin ne cherche pas à être rempli. Au contraire. Pas étonnant qu'elle se dise « vide ». Pas étonnant qu'elle ne se sente pas comblée.

Bouger le bassin de droite à gauche, de gauche à droite, cela elle sait le faire. Elle le fait quand elle marche et parfois d'une manière très exagérée, « comme au cinéma ». Elle sait que remuer les fesses, ça fait féminin, ça fait sensuel et que le dos cambré, les fesses en l'air ça attire le regard. Recevoir le regard d'autrui, elle veut bien. Recevoir, elle n'attend que ça. Mais n'être que réceptacle ce n'est pas une vie, en tout cas pas une vie de femme. Et quand elle se rend compte qu'elle ne vit pas une vraie vie de femme, alors elle se dit frigide. Mais moi je dis qu'elle est rigide, raide, rétractée, reculée, refusante et, dans un certain sens, réactionnaire. Moi je dis que pouvoir articuler le faux mot « frigide » ne l'avance en rien si elle ne sait pas que son bassin est articulé, que son bassin, abri de ses organes génitaux variés et *puissants*, peut avancer à la recherche du plaisir à prendre.

Prendre plaisir. Enfin un terme juste. Le plaisir se prend. Comme le pouvoir, le vrai. Pas celui extorqué à l'autre et qui le prive du sien, pas celui que l'on veut bien vous accorder si vous voulez bien le recevoir. Pour prendre plaisir, pour prendre le pouvoir, c'est-à-dire pour assumer et exercer son propre pouvoir, son pouvoir sur la vie et sur sa vie, il faut d'abord prendre conscience de son corps.

Mais n'est-ce pas incongru de parler du pouvoir du corps féminin ? De sa puissance ? N'est-ce pas que la puissance n'appartient qu'aux hommes puisque quand un homme en est privé on le dit « impuissant » ? Mais jamais on ne dit qu'une femme est « impuissante ». Quand la charge énergétique, le mouvement spontané, la force vitale, le pouvoir orgastique d'une femme sont inhibés, on l'appelle « frigide ». Comme si une femme sans entraves n'était que « chaude », plutôt que puissante. Pourquoi ce critère de température pour les femmes et non pas un critère d'action ? Et pourquoi les femmes qui refusent actuellement tant de mots « phallocrates », acceptent-elles toujours de s'appeler « frigides » ? Comment leur faire comprendre que cette puissance féminine qu'elles réclament, qu'elles attendent que le monde masculin leur accorde, se trouve en fait en puissance dans le corps de chaque femme... et que c'est à la femme même de la découvrir et d'oser l'exercer.

Mais revenons aux groupes et aux efforts pour aider la femme rigide, la femme impuissante à prendre conscience de son corps, de sa sexualité.

Nous travaillons donc à libérer le bassin. C'est long, souvent très long, et parfois on n'y arrive pas du tout. Mais quand la femme rigide commence à trouver, à sentir les articulations qu'elle ne se connaissait pas, quand elle commence à pouvoir bouger même un tout petit peu, elle se trouve soudain en détresse. La gorge sèche, les paumes moites, elle a les sueurs froides de la panique. Enfin libérée de ses vieilles défenses, elle se sent vulnérable, elle ne se reconnaît plus, ne sait pas dans quel corps elle vit. Parfois la peur et le refus spontané (et momentané) de son nouvel état trouvent une expression verbale : « Si c'est pour apprendre la danse du ventre, non merci... » Ou alors : « J'ai vu une strip-teaseuse une fois, d'une vulgarité... »

Ces réactions me rappellent l'histoire des débuts d'Elvis Presley, appelé à l'époque « Elvis the Pelvis ». Il fut le premier, le premier Blanc tout au moins, à chanter tandis que derrière sa guitare, sa région pelvienne déliée (certains disaient déchaînée) faisait du rock and roll (bascule et roulement). Une élève américaine me raconta que les débuts d'Elvis Presley à la télévision américaine dans les années cinquante avaient déclenché un drame. Le cameraman qui photographiait le jeune Elvis en pied, d'abord, et puis avec un gros plan sur le milieu de son corps (dans l'intention de montrer ses mains sur sa guitare) braqua aussitôt la caméra sur son visage où il resta en plan fixe pendant toute la durée du numéro. Le lendemain, polémiques dans tous les journaux. Pour et contre « la lascivité » aux heures de grande écoute ; pour et contre « la censure » exercée par le cameraman !

Parfois, la femme jusqu'alors rigide ne cherche pas du tout à se défendre. Elle ne s'indigne pas, ne se censure pas. Elle se laisse découvrir tout simplement. Au milieu du groupe, elle reste seule, étonnée, heureuse, dans le silence particulier de ceux qui sont enfin à l'écoute de leur corps.

Mais la sexualité ce n'est pas uniquement dans les organes génitaux qu'elle se découvre ou « se soigne », car ce n'est pas uniquement dans les organes génitaux qu'elle se situe. Le corps est un vaste réseau sexuel. Croire que la sexualité se limite au sexe, c'est avoir de son corps une vision fragmentaire particulièrement nuisible.

Depuis quelque temps, dans mes groupes, nous travaillons la tête, ses orifices. Je demande, par exemple, à mes élèves de fermer la bouche et de ne respirer que par le nez. Ils le font. Gentiment, poliment, méthodiquement, et puis ils en ont assez. Ils s'ennuient. Ils se mettent à me regarder l'air de dire « Et alors ? ». Alors je demande s'ils sentent quelque chose. Non, ils ne sentent rien ; il n'y a rien à sentir. Et l'air ? Comment ? L'air. Dans les narines. L'air qui passe dans les narines. Ah oui. Vous le sentez où ? Au bout du nez ? Vers les yeux ? Ils font des grimaces ; ils reniflent ; avec deux filets d'air ils se mettent à jouer comme sur un instrument de musique, à jouer comme ils ont dû faire quand ils étaient tout petits. Certains bouchent une narine ou mettent un doigt dedans. Ils découvrent qu'ils ont deux trous dans le nez et que l'air y entre et qu'ils peuvent sentir qu'il y entre et qu'ils peuvent sentir qu'il en sort. Ce n'est rien du tout, mais pour certains c'est une révélation... et c'est troublant. Ils croisent les jambes, rougissent, essayent de cacher leur gêne, prennent des airs d'adolescents d'autrefois. Ils ont découvert qu'il y a deux trous dans le nez et que l'air y entre et en sort et voilà qu'ils s'assoient différemment et voilà qu'ils regardent furtivement autour d'eux et ne savent pas ce qu'ils ont.

J'en profite. Je leur demande de lâcher la mâchoire, de laisser la bouche ouverte. Certains résistent d'emblée : « On va baver. » Je leur dis que baver ce n'est pas grave. Je leur demande de sortir la langue. J'en vois des petits bouts pointus sortis d'entre des lèvres resserrées. Je leur dis que c'est long une langue, de la laisser pendre dans toute sa longueur. Non, bien plus long que ça. Bien. Et maintenant, dirigez la langue vers le menton, sous le menton. Et maintenant vers le nez. Et maintenant vers la joue droite, la joue gauche. Et maintenant faites-lui faire le circuit nez-joue-menton-joue dans un mouvement continu.

Rares sont ceux qui consentent tout de suite. Leur langue, ils s'en servent surtout pour se plaindre : « Ça mouille. – Ça fait mal. – On a l'air malin. » La plupart finissent quand même par faire l'effort. Plus ou moins. Mais il y en a toujours quelques-uns, quelques-unes qui refusent catégoriquement. La mâchoire nouée, l'air furieux ou douloureux, ils attendent, immobiles, rigides, braqués, résolument cuirassés jusqu'aux dents, que la séance se termine. Et parfois, ils ne reviennent plus jamais.

Le corps sait qu'il est un tout, qu'un orifice en évoque un autre, qu'une sensation dans un orifice de la tête provoque des sensations dans les orifices génitaux, que la prise de conscience d'une partie saillante – nez, pied, main, langue, phallus – éveille la conscience d'une autre. Cependant si l'on ne veut pas admettre ce que dit le corps alors on a tout son temps, toute sa vie pour essayer de le faire taire ou pour se rendre insensible à ses messages.

Continuons. Je demande à mes élèves de se mettre à plat dos et de relâcher la mâchoire de nouveau. Entre-temps, certains ont compris que la mâchoire ressemble beaucoup au pelvis dans ses possibilités de mouvement, qu'elle peut, elle aussi, être tenue en rétraction, figée, nouée dans une position de recul, de peur. Cette association facilite ou ne facilite pas le relâchement que je demande. Mais disons pour le moment qu'ils y arrivent. Alors je leur explique que cette fois-ci il s'agit de sentir la langue dans la bouche, de sentir la largeur de la langue, l'épaisseur de la langue au repos dans la bouche.

Au début, ils ne savent que faire de leur langue. Ils

la collent au palais ou alors la rétractent vers les amygdales. Mais peu à peu, ils la laissent vivre sa vraie vie de langue au repos, qui n'a rien d'autre à faire qu'à gonfler, s'étendre, remplir la bouche jusqu'à ce qu'elle n'y ait plus assez de place et en déborde.

Souvent, on sent alors dans la pièce s'étendre un grand, un épais silence. Les yeux se ferment. Les corps s'alourdissent, s'aplatissent contre le sol. Même le corps de la femme impuissante, si toutefois elle se permet de prendre conscience de sa langue dans sa bouche. (D'ailleurs si l'on fait le mouvement de bascule du bassin à ce moment-là, il y a souvent moins de résistance.) Une fois, j'ai fait faire l'expérience de la langue grosse et large dans la bouche à une femme enceinte qui m'a dit par la suite, sans s'expliquer davantage : « Ça m'a aidée à accoucher. »

Le travail sur la prise de conscience des orifices ne s'arrête pas cependant à la tête. Récemment, dans un groupe où par hasard ce jour-là il n'y avait que des femmes – dont une « officiellement » impuissante et qui était en analyse depuis plusieurs années –, j'ai proposé que l'on travaille les orifices « inférieurs ». Décidant de prendre leur silence pour un consentement, j'ai dit simplement : « Ouvrez vos trois orifices. »

Devant la perplexité générale – ne savaient-elles pas qu'elles en avaient trois ? – j'ai ajouté : « L'anus, le vagin, l'urètre. Ouvrez-les grand. Grand. Plus grand. Maintenant, fermez-les. Serrez-les. Ouvrez-les de nouveau, mais lentement, largement. Sentez bien que vous maîtrisez vos muscles, que vous leur faites faire des mouvements réguliers, précis. » Je leur ai assuré qu'il n'était pas question d'accomplir des prouesses surhumaines (tel le yogi qui, paraît-il, arrive à « boire » avec son urètre), mais de prendre conscience de leur puissance musculaire normale, de faire consciemment les mouvements qu'elles faisaient, ou ne faisaient pas, automatiquement.

Bien sûr je ne pouvais pas vérifier leurs efforts avec mes yeux, pas plus que mes élèves ne le pouvaient avec les leurs. (Cette méconnaissance de leurs corps qu'ont les femmes, ne viendrait-elle pas aussi du fait que les lieux intimes de leurs corps, elles ne les voient pas sauf si elles se décident à les regarder, qu'elles ne les touchent pas directement avec la main, sauf si elles décident de le faire. Et que, depuis leur petite enfance, ces explorations visuelles et tactiles sont découragées ?)

L'efficacité de ces mouvements (qu'un élève s'est amusé à appeler des « sexercices »), j'en ai eu maintes preuves. Mais je suis obligée d'admettre aussi que certains élèves – pourtant fidèles et de longue date – n'y comprennent rien. Ainsi, une jeune femme délurée, toujours à la pointe de la mode, se plaignait un jour à une amie au moment de se rhabiller : « J'aime bien venir au cours. Mais ce n'est pas érotique. Elle ne parle jamais de nos seins. »

Comme si l'érotisme se situait dans les seins ! Comme si le sein de l'érotisme, qui ne peut être que le corps entier, était le sein même ! Je sais bien que cette saison-là la mode était « rétro », mais avait-elle à tel point adopté les conventions mammalogiques du cinéma américain des années cinquante ? Bien sûr que les seins « comptent », qu'ils ont la priorité sur toutes les listes de zones érogènes répertoriées. Mais pour prendre conscience du potentiel érotique du sein, on n'a guère besoin de suivre un cours. Un petit vent frais qui passe, une main (même la sienne) qui les frôle (même accidentellement) suffisent.

A la prochaine séance, je n'ai pas pu résister à l'envie de faire un petit discours. J'ai expliqué qu'ici on prenait conscience du corps à travers le mouvement musculaire et que, si on ne travaillait pas directement le sein, c'est qu'il est affaire de peau, de graisse et de glande. En voulant le « fortifier » ou l'empêcher de tomber, en faisant des contractions et des extensions classiques, on ne peut que développer les pectoraux, c'est-à-dire gonfler les muscles derrière et au-dessus des seins. Résultat : une poitrine musclée et des seins tout aussi flasques qu'au départ.

Il s'agit donc de ne pas se fixer sur les seins eux-mêmes mais de les voir dans leur « environnement », de les considérer par rapport aux épaules en particulier. Dénouer les trapèzes, permettre aux épaules de s'élargir modifie l'emplacement des seins, les remonte et améliore l'harmonie des proportions du haut du corps. Quant à la fermeté de la glande du sein, aucune action sur le sein lui-même ne peut l'influencer. Pour qu'un sein soit ferme, pour que le sang y circule librement, il faut que l'organisme tout entier soit sain.

L'extrême sérieux du problème de l'impuissance sexuelle – comme celui de la conscience fragmentaire du corps –, je m'en suis rendu compte en soignant une personne souffrant de très graves déformations : Mlle O.

Le visage rond, lisse, sans ombre, le regard ingénu, je ne savais pas du tout quel âge lui donner quand à notre premier entretien elle me demanda de le deviner. En tenant compte de quelques cheveux blancs de ses longues boucles châtaines, de son corps plutôt flasque, et de ses vêtements d'institutrice « vieux style », je lui accordai la quarantaine. Les yeux baissés, rougissant de plaisir, elle me dit qu'elle en avait cinquante-neuf. Je trouvais plutôt malheureux que flatteur d'avoir un visage de jeune fille à cet âge-là, mais je ne lui dis rien. Elle me donna un mot de son médecin et pendant que j'essayais de le lire, se lança dans le récit de sa vie d'une voix monotone, comme si elle l'avait déjà racontée maintes fois dans des situations similaires. Elle vivait avec maman qui, elle, se portait très bien Dieu merci car il fallait bien que quelqu'un fasse les courses et le ménage et elle avec sa maladie elle ne sortait que pour se faire soigner. Toutes les deux elles habitaient le même appartement un rez-de-chaussée Dieu merci depuis toujours. Elle ressemblait tout à fait à maman et pas du tout à papa qui lui était « parti » avant sa naissance et n'avait laissé derrière lui que l'appartement et une photo on dirait Rudolph Valentino. Autrefois elle avait travaillé à la Maternelle, pas comme maîtresse vous imaginez bien mais dans le bureau dans les fiches. Plus tard elle avait travaillé à *La Paternelle*, c'est amusant n'est-ce pas, où elle s'occupait des fiches des accidentés du travail. Et puis non elle avait trop mal, elle ne pouvait plus marcher, son pied était devenu tout raide et voilà que ça fait dix ans qu'elle vit à la maison avec maman qui elle se porte très bien Dieu merci.

Le téléphone sonne. C'est son médecin, qui croyait qu'elle n'avait rendez-vous que le lendemain. Il m'avoue sa perplexité devant son cas. Souffre-t-elle d'une décalcification, d'une forme de sclérose en plaques, des suites d'un accident enfantin dont personne n'aurait compris la gravité, ou d'une séquelle de polio ? Il ne croit pas beaucoup à ces éventualités mais n'en sait rien. Il lui a fait faire tous les tests possibles et imaginables, l'a envoyée chez une foule de spécialistes mais personne ne peut faire un diagnostic convaincant.

Je raccroche, demande à Mlle O. de se lever et de faire quelques pas. Elle ne peut pas relever le pied gauche. Elle ne pose donc que la pointe du pied par terre, jamais le talon. L'autre pied, tourné sévèrement vers l'intérieur, est un amas d'oignons, de peaux mortes ; les orteils sont déformés, crispés, écrasés les uns contre les autres. Elle marche avec une canne et très péniblement.

Je l'aide à se coucher sur le sol et à monter les jambes à angle droit. Ce n'est pas trop difficile, bien que les genoux se tournent encore plus vers l'intérieur. Les adducteurs, « muscles de la virginité », allant du pubis le long de l'intérieur des cuisses, sont d'une raideur étonnante et lui maintiennent les jambes étroitement serrées.

« J'ai la nuit des crampes terribles à l'intérieur de la cuisse. Elles me réveillent souvent en plein rêve. Je fais toujours le même rêve. »

Je ne dis rien, attends la suite.

« Je rêve que je tombe. »

Bien. Je prends ses pieds dans mes mains et lui demande de serrer encore plus les jambes. Elle pousse un cri de douleur, tente de s'agiter en tous sens. Les devants de ses cuisses sont en boule. Je lui demande de pousser le talon du pied gauche vers le plafond. Indignée, elle me dit : « Mais c'est pour cela que je suis venue. C'est que je ne peux pas. » Je lui propose de le faire pour elle. Le pied résiste. J'insiste. Un faible mouvement se dessine. J'insiste encore et voilà que le pied fléchit, tenu seulement par le bout de mes doigts. Alors, il bouge ce pied. Alors, elle pourrait le bouger. Je lui demande de le faire toute seule. Indignation de nouveau. Elle ne peut pas. Un point, c'est tout.

Je lui appuie les pieds – les jambes sont toujours à l'angle droit au sol – contre le dos d'une chaise et je me mets à lui travailler la nuque. Elle se plaint d'avoir la bouche sèche. Je lui demande de tourner la tête de droite à gauche. Protestations et cris. Lorsque enfin je pose ses jambes, elle pousse des gémissements saccadés. Les adducteurs sont agités de tremblements spasmodiques violents. Grelottant de froid, elle murmure : « Vous me démolissez. Vous me tuez. » Je lui mets une couverture et m'assieds à côté d'elle. Je lui explique que ses muscles peuvent bouger, qu'ils pourraient faire plier et déplier son pied mais qu'elle ne leur envoie pas les commandes adéquates.

« Alors ça doit être dans le cerveau ! dit-elle. Je dois avoir une lésion au cerveau ! »

Je lui demande si elle le croit vraiment. Entre ses yeux, deux rides profondes se dessinent. Elle porte sur moi un nouveau regard. D'une voix que je ne reconnais pas, elle dit : « Non, je n'ai pas de lésion au cerveau. Mais ce que j'ai, c'est dans la tête, n'est-ce pas ? » Je lui dis que tête et corps font un tout fidèle et intègre. Je propose qu'elle vienne régulièrement et lui suggère qu'elle pourrait faire beaucoup de progrès. Elle consent, puis ajoute : « Vous verrez. Je vous laisserai faire. » Je lui réponds que dans ce cas, il ne se passera rien, que le travail c'est à elle à le faire. Elle a très bien compris. Elle n'est nullement aussi bête qu'elle veut le faire croire. Elle porte une main à son front, la passe sur ses paupières, sa joue, sa bouche.

Derrière son masque de poupée, il y avait une femme qui avait attendu cinquante-neuf ans pour commencer à avoir un visage. Et son corps, combien de temps attendra-t-elle encore avant de découvrir qu'elle a un corps de femme ?

Après son départ, je me sens nerveuse, coincée, cernée par ma tristesse. Françoise Mézières dit qu'il n'est jamais trop tard pour prendre conscience de son corps, pour découvrir son courage, sa combativité, sa puissance vitale. Mais en pensant à Mlle O., à cette longue mort qui a duré tout le temps de sa vie, je me dis aussi qu'il n'est jamais trop tôt pour prendre peur de son corps, une peur paralysante, suicidaire.

Peur du corps... peur des mots... parfois les deux sont indissociables. Celui qui n'a qu'une conscience fragmentaire et fugitive de son corps, qui ne le connaît pas de l'intérieur, a besoin de coller une étiquette sur l'emballage. Le mot qu'il croit nécessaire pour se définir est souvent précisément celui qu'il craint par-dessus tout. « Pervers » et « homosexuel » en voilà deux redoutés de beaucoup d'hommes et de femmes qui y cherchent leur « identité » tout en craignant d'y trouver leur perdition.

Mais celui qui a ressuscité les zones mortes de son corps, celui qui connaît ou tout au moins soupçonne la multiplicité de ses désirs et la richesse de ses moyens d'agir et de réagir ne peut plus accepter les définitions du dictionnaire. Il découvre que les définitions, la nosographie, ne sont pas appropriées à la nouvelle expérience de son corps : elles ne peuvent que le tenir dans les limites de son expérience antérieure, le définir par rapport à ce qu'il n'a pas osé vivre jusque-là.

Au lieu de se raconter à longueur de vie – de penser et donc d'être uniquement par l'intermédiaire des mots –, il prend enfin le temps d'écouter les messages subtils et variés de son corps. Il découvre que son corps c'est lui et qu'il va plus loin, qu'il est plus riche et plus profond que les mots. Il découvre qu'il peut arrêter ce monologue continuel qu'est sa pensée et avoir la preuve de son existence à travers ses sensations. C'est alors qu'il découvre un nouveau langage, un langage amoureux qui lui est propre et dont la seule source de référence est son corps. Dans la multiplicité de ses possibilités, de ses désirs, il découvre la multiplicité de sa sexualité, ses sexualités. Hétéro... homo... bi... c'est la sexualité, le fait de sa sexualité qui compte, le fait de son corps épanoui.

Devenu le véhicule de son imagination, son corps peut enfin se métamorphoser à partir de sa réalité et en fonction de ses désirs et des désirs de l'autre. Se métamorphoser ne veut plus dire se renier, se cacher, mais être soi dans toutes ses possibilités. Celui qui connaît son corps ne refuse que ce qui est faux pour lui, ce qu'il ne vit pas dans son corps. S'étant affranchi des définitions, des répressions, des interdits, il pratique enfin une véritable liberté sexuelle.

8

La maison accueillante

Prendre le risque de réveiller ses expériences archaïques les plus douloureuses et les zones mortes qui en sont les traces... prendre sur soi la responsabilité de l'état de son corps... en prendre peu à peu conscience jusqu'à ce qu'on sente sa vie même prendre corps... « Prendre », oui. Mais après ? Après avoir pu prendre ne s'agit-il pas de pouvoir offrir ? Après le pourquoi de la prise de conscience du corps ne faut-il pas chercher le « pour qui » ?

Se prendre en charge c'est assumer les frais de sa maturité. (A partir d'un certain âge nous sommes responsables de notre visage, certes, mais aussi de notre corps.) Mais la maturité c'est aussi pouvoir assumer ses responsabilités envers autrui. Envers ses enfants si on est parent. Envers ses élèves si on est professeur. Envers ses patients si on est médecin ou infirmier ou psychanalyste.

J'ai souvent eu l'occasion de constater comment une personne, en éveillant son corps, en devenant graduellement plus disponible à soi-même, modifiait le comportement de ceux qui doivent « répondre » à son langage corporel. Ainsi de nombreux hommes et femmes ont trouvé que leurs partenaires sexuels s'épanouissaient ou rajeunissaient comme par magie au fur et à mesure qu'eux-mêmes découvraient leur propre corps. Ils ne voient pas immédiatement le rapport entre leur progrès et les changements qu'ils découvrent chez leurs amants, peut-être parce qu'il est difficile de comprendre comment nous sommes vécus ou même que nous sommes vécus si pendant longtemps nous ne nous sommes pas sentis vivre.

Mais que se passe-t-il quand on prend conscience de son corps ? Sexuellement, le corps qui était auparavant une façade gagne en profondeur, prend sa troisième dimension pour devenir une vraie maison enfin habitée et, potentiellement, habitable à deux. Se sentant stable, moins vulnérable, on ose se laisser découvrir par l'autre. Enfin disponible à ses propres sensations, on acquiert un nouveau sens de l'autre. On perçoit son corps à lui dans la variété de ses expressions, de ses émotions, de ses désirs. Sachant ce que nous éprouvons, nous imaginons mieux ce qu'éprouve l'autre ; notre expérience de notre corps nous rapproche du sien.

Enfin en contact avec lui-même, celui qui a pris conscience de son corps établit de nouveaux contacts avec ses « proches » qui étaient, en fait, auparavant gardés à distance. Parfois, cependant, l'autre refuse de se laisser aborder. L'histoire de Mme G., qui travaillait dans un de mes groupes depuis plusieurs mois et avait fait des progrès considérables, illustre bien cette situation.

Agée de quarante ans, elle était mariée depuis plus de vingt ans à un homme qui lui ressemblait comme un jumeau. Pointus, pincés, haut perchés, ils faisaient surtout penser à un couple de sauterelles. Un jour, elle s'arrêta de faire des progrès et resta ainsi pendant des semaines. Je ne m'en inquiétai pas, sachant très bien que souvent mes élèves arrivent à un palier, font une halte avant de repartir. Seulement dans la maison du corps de Mme G., il ne s'agissait pas d'un palier, mais d'une porte fermée. Par son mari. « Il est contre, me dit-elle un jour. Il dit que travailler le corps c'est du nombrilisme, du narcissisme. Il a même dit... » J'attends la suite. « Que c'est de l'onanisme », chuchote-t-elle. J'ai compris le sérieux du conflit quand Mme G. m'annonça qu'elle serait bien obligée d'abandonner le groupe.

Elle qui avait à peine commencé à entrevoir les profondeurs de sa vie, voilà qu'elle ne les explorerait jamais. Non pas parce qu'elle avait pris peur de son corps, mais parce que son mari en avait pris peur. Déjà sa façon de vivre son corps à elle avait dû modifier sa façon de le voir et peut-être de le recevoir. Alors, il se défendait à coups « d'ismes ». Il l'accusait de n'être concernée que par elle-même quand justement son travail le touchait, lui, de très, de trop près.

Mots formulés du bout des lèvres et lancés « de haut », les « ismes » sont souvent utilisés par ceux qui ont le pouvoir de régler la vie des autres sans mettre la leur en jeu. Quand j'ai appris que le mari enseignait des enfants du même âge que les miens, mon irritation devint de la colère. Être enseignant ne suppose-t-il pas que nous sachions en premier un certain nombre de choses de nous-mêmes ? En nous présentant devant un groupe d'élèves, nous consentons non seulement à être entendus mais à être vus, sentis, touchés même. C'est notre corps que nous présentons et tout ce que notre corps révèle de notre vie. Si nous considérons que nos élèves sont davantage que des machines à enregistrer nos paroles, alors notre travail ne peut être autre chose que du corps à corps. (Pourquoi persistons-nous à appeler un entretien de deux personnes un « tête-à-tête » plutôt qu'un « corps à corps » ?) Le corps enseignant, n'est-ce pas, c'est d'abord le corps de chaque enseignant. Le savoir que propose l'enseignant, c'est ce qu'il sait de lui-même à travers ses réflexions certes, mais aussi et simultanément à travers l'expérience de son corps. Si le professeur n'a pas conscience de sa présence corporelle, les élèves d'aujourd'hui seront souvent prêts à lui faire savoir qu'ils ne sont pas là simplement pour apprendre ce qu'il leur raconte mais pour *prendre* ce qu'il a mûri en lui, les fruits de son expérience. Le corps de l'enseignant n'est-il pas une sorte d'arbre de la connaissance ?

Mais que pouvait-on prendre de cet homme qui voulait ignorer son corps et celui de sa femme, et certainement ceux de ses élèves ? Cet homme-là ne pouvait offrir à ses élèves que des mots... des « ismes » justement.

Parfois, un parent n'offre guère plus à son enfant. En tout cas, il ne lui offre pas son corps. Il ne le touche que du bout des doigts, ne le caresse, ne l'enveloppe jamais, ne l'embrasse qu'avec cérémonie et cela à heure fixe. Quand il trouve que l'enfant ne se développe pas normalement, il est souvent prêt à en demander la raison à toute une panoplie de spécialistes, sans soupçonner que la seule question pertinente c'est à lui-même qu'il faut la poser. Prenons Mme D., en traitement chez moi depuis plusieurs semaines pour une « péri-arthrite scapulo-humérale ». L'extrême raideur de cette femme aux proportions massives aurait pu lui valoir aussi des souffrances du bas de la colonne, des hanches, des genoux. Un jour elle m'annonça que cette fois-ci elle voulait me montrer sa fille. D'accord. Quand arrive-t-elle ? « Mais elle est là, dans l'entrée ! » Mon entrée est minuscule mais je n'y avais pas aperçu l'enfant.

« Sylvie ! »

Sylvie entre en rasant les murs et se glisse derrière sa mère qui, assise devant moi au bureau, commence son récit comme si Sylvie n'était pas là.

« Elle ne pousse pas, dit-elle d'un ton accusateur. A douze ans, 1,40 mètre ce n'est pas assez. Le pédiatre dit qu'elle est normale, mais moi... »

Sylvie est tournée vers la bibliothèque. Je ne vois son visage qu'en profil perdu. Son corps est caché par celui de sa mère.

« Depuis sa naissance jusqu'à un mois, elle n'a cessé de crier. Ce n'était pas vivable. Alors je l'ai mise chez une nourrice à la campagne. Quand je l'ai reprise, elle s'est mise à faire des colères terribles. »

Je ne l'écoute plus. J'essaie de voir le corps de Sylvie qui danse d'un pied sur l'autre, rigide et régulier comme le balancier d'une pendule. Je vois des omoplates décollées, un cou qui se cache dans les épaules, un jeune corps contrarié, tordu comme la tige d'une plante que l'on s'obstinerait à tourner vers l'ombre. Je ne vois pas de déformations qui justifieraient une étiquette officielle. Il me semble que le problème à traiter d'urgence est ailleurs. Je le dis à Mme D. Elle paraît mécontente. Ou de mon observation ou du fait que je l'ai interrompue.

« Sylvie, dit-elle sans se retourner vers sa fille, attends maman dans l'entrée. » Sylvie fait un grand trajet autour de nous et sort sans que j'aie pu voir son visage une seule fois.

J'ai très envie de dire à Mme D. qu'un enfant que l'on amène pour « faire de la rééducation » est rarement motivé lui-même pour le faire. Il est là par ordre des parents, ou du médecin. Le praticien peut toujours tenter de le séduire, de lui expliquer ce qui ne va pas et pourquoi, de le persuader de « coopérer ». Mais à quoi bon ? Son corps a ses raisons pour pousser tordu que la raison du praticien ne peut point connaître. Je pense à l'expérience bien connue de deux groupes de cobayes de laboratoire, nourris de la même façon et aux mêmes horaires. Seuls les sujets du deuxième groupe sont en outre caressés. Et ce sont ces derniers qui sont de loin les plus vigoureux, les plus vifs, les plus résistants à l'infection. Mais je ne vois pas à quoi cela peut servir de mettre mes pensées en mots pour Mme D. Des mots, elle a dû déjà en entendre et en lire des milliers et voilà où elle en est. Alors, dans le silence, nous avons repris le travail sur son corps.

Avec Mme D., nous avons travaillé pendant une année. Petit à petit les douleurs d'épaule finissaient par céder, les rechutes se faisaient de plus en plus rares. Les mouvements de ses bras, de ses mains devenaient moins heurtés. Elle commençait par accorder quelques « permissions » à sa démarche militaire, puis l'abandonnait tout à fait. Son visage sévère se modifiait subtilement pour prendre parfois une expression de gravité. Quand elle souriait, elle se servait non seulement des coins de ses lèvres, comme auparavant, mais de ses joues, de ses yeux, de son front.

Après la dernière séance avant l'été, je l'ai raccompagnée jusqu'à la porte. Deux personnes attendaient dans l'entrée. Mon patient suivant et une jeune personne que je ne connaissais pas. Mme D. s'approcha d'elle et glissa son bras autour des épaules de l'enfant qui se raidit un peu puis se laissa envelopper. « C'est bien elle. C'est ma Sylvie », dit Mme D.

L'enfant avait grandi de plus de 10 centimètres ! Bien proportionnée, elle avait un joli port de tête, un regard franc, intelligent et, bien sûr, un peu méfiant. Elle passa devant sa mère qui me chuchota en partant : « Ça s'est arrangé. C'est “la formation”, je crois. »

Peut-être. Mais je pense que les progrès de Sylvie étaient aussi la répercussion de ceux de sa mère, qui avait enfin accepté de prendre en charge son corps de femme et de mère.

Récemment une femme de soixante-cinq ans vint chez moi avec une grosse déformation de la colonne vertébrale, suite d'un accident de voiture subi dans sa jeunesse. Elle en avait souffert quotidiennement depuis des années. Elle me dit qu'elle était médecin. Mais depuis deux ans, sa propre douleur la rendait presque invalide et elle ne pratiquait plus.

Pendant que je la soignais, elle me demanda si moi je n'avais jamais souffert dans mon corps. Sa question me laissa bouche bée.

« Non, jamais », dis-je. Puis, honteuse : « Si, une fois, un lumbago, mais enfin... »

Elle vint à mon secours.

« J'aurais cru que vous aviez souffert car vous semblez attentive à ce qu'éprouve l'autre. »

Elle m'expliqua que sa propre douleur l'avait toujours rendue sensible aux souffrances de ses patients. Selon elle, seuls ceux qui ont connu la douleur devraient être médecins.

Je lui répondis qu'une sensibilité aux corps des autres peut s'apprendre autrement qu'à travers la douleur, mais qu'effectivement c'était cette sensibilité qui manquait à un grand nombre de médecins. Au lieu de dire qu'ils n'ont pas de cœur, il serait peut-être plus juste de dire qu'ils n'ont pas de corps. L'habitant si peu, se percevant comme des têtes ou des mains, ils ne peuvent voir leurs patients comme des êtres entiers. Pour ces médecins-là, leurs patients ne sont que ce qu'ils ont. Ne s'intéressant qu'à la maladie sans tenir compte de l'être humain qui souffre, ils réduisent leurs malades à des « non-personnes » devant lesquelles ils discutent le « cas » dans les termes les plus brutaux. Ou alors, les médecins qui ont peur de leur propre corps sont parfois si pétris de pudibonderie qu'ils deviennent incompétents quand il s'agit d'explorer ceux de leurs patients.

Depuis quelque temps, les étudiants en médecine peuvent suivre des cours de psychologie. C'est déjà un grand progrès. Mais ne serait-ce pas mieux encore si avant d'opter pour la médecine, les candidats suivaient des « cours » de prise de conscience du corps ? Au lieu d'être réduite à l'étude des planches d'anatomie et à des dissections de cadavres, leur connaissance du corps humain – de l'être tout entier – serait enrichie à travers une recherche effectuée sur leur propre personne.

En prenant conscience de leurs blocages musculaires et en en cherchant les origines, combien de ces jeunes étudiants comprendraient mieux leurs vraies raisons d'avoir choisi la médecine ? Combien d'entre eux, qui s'étaient crus emportés par l'élan d'une vocation, découvriraient qu'en choisissant la médecine ils se sont simplement pliés une fois de plus aux pressions parentales et sociales et que leur corps se révolte, refuse un avenir qu'au fond il ne désire pas réaliser ? Combien d'entre eux comprendraient qu'ils se destinent à des positions de responsabilité et d'autorité justement parce qu'ils n'osent pas assumer la responsabilité de leur propre autonomie ?

« Depuis que je me roule par terre avec mes patients, je me sens beaucoup mieux », m'a dit un jour une psychanalyste américaine.

C'est déjà ça. Mais si elle avait pris conscience de son corps *avant* de se lancer dans le « touch therapy » – très à la mode cette année-là –, ses patients auraient pu prendre davantage d'elle, la « sentir » davantage et se sentir encore mieux eux-mêmes. Ou peut-être qu'elle aurait découvert que si, tout naturellement, elle avait pu se permettre de toucher ses patients avec des gestes spontanés et authentiques, elle n'aurait pas eu besoin de manifestations aussi violentes pour leur prouver sa réalité et pour qu'ils expriment la leur.

C'est vrai que dans les hôpitaux psychiatriques on commence à accorder de l'importance à la vie corporelle des malades. Mais on est encore très loin de reconnaître l'importance de celle des soignants.

Ainsi, on applique les techniques de « maternage » : donner le biberon au malade. Ou bien on l'enveloppe dans des draps mouillés, toujours dans le but d'éveiller les sensations de son corps. Mais en abordant le corps du malade à travers des objets, en lui tendant des symboles palpables, en faisant « comme si » et en s'attendant à ce qu'il joue le jeu, ne réduit-on pas le corps du malade aussi à un objet à manipuler ? L'essentiel ne serait-il pas que celui qui tend les objets soit non pas simplement un instrument intermédiaire, mais une vraie personne habitant un vrai corps ? L'authenticité des gestes du soignant, la chaleur, le naturel déjoueraient, il me semble, l'artificiel des techniques qui se veulent « humanisées ».

Dans *Soi et les Autres*, l'antipsychiatre Ronald Laing raconte l'histoire d'une schizophrène à qui une infirmière donnait une tasse de thé. « C'est la première fois de ma vie que quelqu'un m'a donné une tasse de thé », lui dit la patiente.

Dans la mesure où cette scène avait lieu en Grande-Bretagne où prendre le thé est un rite quotidien, il semblait impossible que la patiente dise la vérité. Mais si, justement. Laing explique qu'à travers son extrême sensibilité au fait que les autres la reconnaissent ou ne la reconnaissent pas en tant qu'être humain, en tant que corps, elle exprimait une simple et profonde vérité : « Il n'est pas si facile pour quelqu'un de donner à quelqu'un d'autre une tasse de thé. Si une dame m'offre une tasse de thé, peut-être veut-elle faire étalage de sa théière ou de son service, peut-être essaie-t-elle de me mettre de bonne humeur pour obtenir quelque chose de moi ; peut-être cherche-t-elle à me plaire ; elle pourrait vouloir faire de moi un allié pour servir ses desseins contre d'autres personnes. Peut-être verse-t-elle simplement du thé dans une tasse, et tend-elle la main tenant la soucoupe où est posée la tasse, sur quoi je suis censé les attraper dans les deux secondes précédant l'instant où elles deviendraient un poids mort. Ce pourrait être un geste purement machinal, qui ne comporterait aucune façon de *me* reconnaître. Une tasse de thé pourrait m'être offerte sans qu'on me *donne* à *moi* une *tasse de thé*[1]. »

Être là, derrière la tasse de thé... être là, dans son corps, pour soi et pour les autres... habiter son corps... mais, au préalable, il faut bien admettre que nous avons un corps, que nous sommes un corps. Et même que notre seule vérité objective et concrète c'est d'être corps.

Pensée, sentiment, raisonnement, bien sûr. Nous sommes aussi tout cela et plus encore. Mais souvent nous le sommes seulement parce que nous disons que

1. R. Laing, *Soi et les Autres*, Gallimard, 1971, p. 130-131.

nous le sommes. Nous ne nous servons que de mots – traîtres, contradictoires, fugitifs – pour nous informer de nous-mêmes, pour nous inventer. Mais il nous est possible, il nous est essentiel de sentir dans nos corps qui nous sommes, que nous sommes. Soyons avant tout corps. Soyons enfin corps. Soyons.

Post-scriptum

Livre didactique ? Manuel ? Oui, mais si peu. Plutôt un livre rêvé, utopique, qui indique un trajet à faire pour arriver jusqu'à soi-même.

Peut-être fallait-il tenter d'écrire ce livre, tenter de se raconter sa propre histoire et de saisir l'essentiel de celle des autres pour comprendre combien la prise de conscience est difficile. Pour comprendre aussi quel courage il faut, sinon pour entreprendre ce travail, du moins pour ne pas l'abandonner à mi-trajet, ou lorsque nous découvrons que nous sommes à la fois notre but et notre plus grand obstacle. En persistant, nous nous apercevons que nous allons à contre-courant : plus nous avançons, plus nous nous approchons du commencement. Notre corps cherche ses sources, ses raisons d'être devenu ce qu'il est. A travers le corps, l'être tout entier apprend qu'évoluer n'est autre qu'aller de commencement en commencement.

Dans la préface de ce livre, j'ai dressé une liste des fins auxquelles pouvaient s'attendre ceux qui prennent conscience de leur corps. Quelle satisfaction d'énumérer, de promettre : c'est comme si le bien était déjà fait. Dans ce post-scriptum, écrit un an plus tard, c'est avec une nouvelle humilité que j'ajoute simplement : osons commencer.

Préalables

Voici donc la description de quelques Préalables, ces mouvements annoncés précédemment. Il vaut mieux vous en méfier. Non, ils ne peuvent absolument pas faire de mal à votre corps. Le danger est que vous leur prêtiez une autorité à laquelle vous vous soumettrez par la suite, que vous vous attendiez à ce qu'ils vous donnent une nouvelle conscience de votre corps. Mais la conscience du corps ne se donne pas. Aucun mouvement, aucune méthode ne peuvent le faire. La conscience du corps est à prendre. Par qui se le permet.

Mais comment s'y prendre pour prendre conscience de son corps ? D'abord ne pas vous acharner à « réussir » ces mouvements. Il est beaucoup plus important de les rater... et de découvrir ainsi ce que votre corps ne peut pas encore faire, ce qu'il n'ose pas faire, ce qu'il a oublié. Ensuite, pour prendre conscience de votre corps, il s'agit de prendre votre temps... comme vous prendriez votre pouls. Il ne s'agit pas d'aller lentement, mais à votre lenteur, au rythme que vous seul pouvez sentir de l'intérieur de votre corps.

Je vous avertis que la description écrite des Préalables n'est qu'une très faible évocation. Au mieux, des notes sur l'improvisation vivante et toujours renouvelée qu'est une leçon donnée par un praticien expérimenté. Chaque leçon est faite « sur mesure », modelée sur les besoins de l'élève en tenant compte de son expérience antérieure et de sa disponibilité actuelle. La voix du praticien, le ton et le rythme de ses mots, la présence ou l'absence d'autres élèves, le lieu à la fois neutre et familier où se déroule le cours, son ambiance particulière... chaque élément contribue à rapprocher l'élève de son corps.

Improvisation « inspirée », une leçon réussie a pourtant une structure classique. Elle ressemble à celle d'une pièce de théâtre ou d'un roman policier. Il y a un développement graduel montant vers le dénouement qui, lui, est suivi d'une descente douce et courte vers la vie qui continue.

Mais puisque vous allez travailler seul, je vous conseille de commencer chaque séance par le premier Préalable. Il vous permet de faire le point, de savoir ce qui ne va pas et de sentir ce dont le corps a besoin en priorité. Ensuite, choisissez le Préalable qui semble lui convenir le mieux. N'essayez pas de les faire tous à la file. Il vaut mieux en faire un seul, mais attentivement, à votre rythme. Sachez toutefois que souvent une épaule crispée se détend en travaillant le pied seulement. Il n'est pas nécessaire d'attaquer le mal directement. Mais tout cela, et plus encore, votre corps vous le dira... si vous vous permettez de l'écouter.

1. Défaites vos vêtements, tout ce qui comprime le corps. « Mais non, mon soutien-gorge ne me serre pas. J'y suis habituée », me dit-on souvent. En réalité, la peau est sillonnée de marques profondes.

Allongez-vous à plat dos sur le sol. Complètement. Les bras le long du corps, les paumes tournées vers le ciel, les pieds tombant comme ils veulent. Laissez le silence s'installer. Ce sera plus facile si vous fermez les yeux. Vous n'êtes peut-être pas très bien. Patientez. Ne changez rien. Observez seulement. Quels sont les points de contact de votre corps contre le sol ? Comment reposent :

– les talons ? un talon par rapport à l'autre ?

– les mollets ?

– les fesses ? les os du bassin ? le sacrum ?

– le dos ? combien de vertèbres reposent sur le sol ?

– les omoplates ? par rapport à la colonne ? l'une par rapport à l'autre ?

– les épaules ? sentez-vous leur distance par rapport au sol ?

– la tête ? sentez-vous son poids ? son point de contact avec le sol ?

Soyez attentif aux mâchoires. Si elles sont serrées, essayer de les desserrer. Laissez la langue s'élargir dans la bouche. Laissez-la prendre toute sa place dans la cavité buccale. Voilà. C'est le début du travail.

2. Ce Préalable est un travail sur le pied. Il faut une petite balle en mousse de la taille d'une mandarine. Mettez-vous debout et placez la balle sous le pied droit. Doucement, commencez à masser le dessous du pied avec la balle. Massez le dessous de tous les orteils, le dessous de l'avant-pied, le milieu du pied. Laissez les orteils horizontaux, dans le prolongement du pied. Ne les retroussez pas vers le plafond. Laissez son poids à la jambe droite. Continuez à masser par tout petits ronds, doucement, méthodiquement, tout le pied : le talon, le bord interne et le bord externe. Que la peau et les muscles de la plante du pied soient accueillants pour la balle. Il se peut que certaines

zones soient douloureuses. Ne les attaquez pas brutalement. Massez doucement le pourtour. Revenez seulement lorsque le pied le permet.

Ensuite, vous pouvez vous allonger et comparer les deux moitiés de votre corps. Ou alors penchez-vous en avant et essayez de sentir si vous descendez avec plus d'aisance d'un côté que de l'autre. Puis « faites » l'autre pied.

3. Ce Préalable est aussi un travail du pied. Asseyez-vous sur le sol, le plus confortablement possible. Placez le pied droit sur la jambe gauche allongée. Prenez le pouce du pied droit dans une main en maintenant le pied de l'autre main. Tirez doucement sur le gros orteil en le faisant tourner légèrement, comme pour le visser. Puis dévissez-le. Faites la même chose avec le 2ᵉ orteil, le 3ᵉ, le 4ᵉ, le 5ᵉ. Ne vous pressez pas. Tirez et faites tourner depuis la naissance des orteils. Chacun correspond à une zone de la colonne vertébrale.

Maintenant la jambe droite fléchie, placez le pied droit relevé devant vous, mais gardez les orteils dans le prolongement du pied. Ils ne doivent pas être relevés. (Votre jambe gauche est toujours allongée.) Prenez dans une main le gros orteil du pied droit. Prenez les quatre autres orteils dans l'autre main. Écartez doucement.

Un angle droit doit apparaître entre le premier et le deuxième orteil. Surtout ne forcez pas. Vous pouvez mettre des semaines pour y arriver. Les orteils ont plus souvent l'habitude de se chevaucher dans les chaussures que d'être écartés ainsi. Voyez maintenant si un angle droit apparaît dans l'intervalle entre les 2ᵉ et 3ᵉ orteils, les 3ᵉ et 4ᵉ, les 4ᵉ et 5ᵉ.

Prenez le temps de vous allonger maintenant à plat

dos, jambes étendues. Comparez comment les deux moitiés du corps reposent sur le sol : les talons, les mollets, les fesses, le dos, les épaules. Avec un peu d'habitude, vous pourrez même comparer les deux moitiés du visage. Je ne vous dis pas ce que vous découvrirez. Mais c'est une heureuse surprise.

Si vous en éprouvez le besoin, vous pouvez « faire » le pied gauche immédiatement après. Ou alors vous pouvez continuer à travailler le pied droit. Placez la paume de la main gauche contre la plante du pied droit et croisez les doigts de la main et les orteils du pied. C'est-à-dire, passez les doigts entre les orteils. Prenez soin de passer un doigt entre chaque orteil et de ne pas prendre deux orteils ensemble. Poussez doucement jusqu'à la naissance des orteils. Cela peut faire mal au début. Maintenant faites fléchir l'avant-pied vers vous jusqu'à ce que vous puissiez voir les articulations métatarso-phalangiennes. Mettez-vous debout lentement. Comparez les pieds posés côte à côte. Faites quelques pas. Lequel est le « vrai » pied ?

4. Ce Préalable s'appelle parfois « le hamac ». Mme Ehrenfried le recommande aux femmes qui ont des règles douloureuses, mais tout le monde peut en tirer profit. Il faut une balle assez molle, de la taille d'un gros pamplemousse. Couchez-vous à plat dos, les jambes fléchies, les pieds à plat sur le sol, un peu écartées (à la largeur des hanches). Ecartez un peu les genoux aussi. Essayez de lâcher toute tension inutile : des jambes, en particulier des adducteurs à l'intérieur des cuisses, des mâchoires, des épaules. Placez la balle sous le sacrum et le coccyx. Et puis, ne faites plus rien ; c'est le plus difficile.

Permettez au dos de descendre lentement, de s'approcher du sol, de prendre la forme d'un hamac. Le ventre est souple. Le nombril tombe vers la colonne vertébrale. Soulevé par la balle, le pubis se dirige vers le plafond. La taille se pose au sol. C'est tout. Mais si les rétractions des muscles spinaux sont trop fortes, il se peut qu'il vous faille plusieurs semaines pour y arriver. Vous pouvez vérifier si le ventre reste souple en y posant la main. Inutile de vous agiter pour arriver au résultat. Laissez faire. Maintenant enlevez la balle. Observez comment se pose le bas du dos.

5. Il s'agit de déplier les jambes. Mettez-vous à plat dos, jambes fléchies, pieds par terre, nuque allongée, c'est-à-dire le menton près du cou. Saisissez dans la main droite l'avant-pied droit et essayez doucement de déplier la jambe droite obliquement vers le plafond. Il est important de laisser la colonne le plus à plat possible, d'éliminer toute tension des épaules et de laisser la moitié droite du dos longue. Le mieux est de vous dire que vous ne voulez pas vraiment déplier la jambe. Cela vous est bien égal d'y arriver ou pas. Surtout ce que vous voulez c'est régler votre geste sur votre respiration. Comme si vous respiriez avec votre jambe ! Quand vous soufflez, vous faites le geste de déplier et quand vous ramenez à nouveau la jambe, vous inspirez. L'effort, car il y a tout de même un effort, se fait donc quand vous soufflez.

Patiemment, lentement, longuement, travaillez cette jambe droite. Puis allongez-vous complètement. Comparez la façon dont les deux jambes reposent maintenant au sol. Mettez-vous debout. Comparez encore la façon dont vous êtes planté sur le sol. Quelle différence y a-t-il entre la jambe droite et la jambe gauche ? Comment se répartit le poids du corps au niveau du pied ?

Maintenant remettez-vous à plat dos, les jambes fléchies dans la position de départ, et essayez de déplier les deux jambes à la fois. Comparez. Puis ne restez pas bancal : « faites » aussi le côté gauche.

6. Pour travailler les épaules, asseyez-vous sur un tabouret, les deux pieds bien à plat sur le sol. Les deux ischions (os du bassin que vous sentez sous les fesses) sont en appui égal. Posez la main droite sur l'épaule gauche à même la peau. Pas sur l'extrémité de l'épaule, mais bien au milieu entre l'extrémité et la naissance du cou. Vous avez là largement la place de poser la paume. Saisissez à pleine main le trapèze. Soyez doux, mais ferme ; les trapèzes à ce niveau-là sont très souvent contracturés. Laissez pendre le bras gauche. Puis haussez l'épaule gauche. A petits coups légers. Comme pour observer le mouvement. Puis faites tourner l'épaule très lentement d'avant en arrière. Imaginez que vous voulez dessiner des cercles parfaits avec l'arrondi de l'épaule. Vous voulez le faire en maintenant fermement le trapèze afin qu'il participe le moins possible au mouvement. Un mouvement par respiration suffira. Évitez que le coude gauche suive le mouvement. Le bras doit réellement rester lâche, pendant.

Puis lâchez l'épaule. Laissez pendre les deux bras. Faites tourner les deux épaules ensemble. Vous sentirez aussitôt laquelle de vos épaules est maintenant « huilée ».

7. Pour travailler la nuque, asseyez-vous sur un tabouret et tournez lentement la tête vers l'épaule gauche, puis vers la droite pour regarder derrière vous. Saisissez à pleine main non seulement la peau

de la nuque, mais les muscles. Essayez de desserrer les mâchoires et de faire lâcher la langue. Vous vous tenez ainsi par la nuque, comme on tiendrait un chaton par la peau du cou. Faites de tout petits signes de tête – « oui » – plusieurs fois. Votre tête est aussi relâchée que celle de ces petites poupées dont la tête est articulée sur un ressort. Puis faites de petits signes « non ». Puis de minuscules cercles dessinés avec le bout du nez. N'oubliez pas de respirer. Maintenant lâchez la nuque. Et à nouveau, regardez à droite derrière vous et puis à gauche. Appréciez cette nouvelle amplitude de mouvement.

8. Voici un Préalable auquel tiennent beaucoup plusieurs de mes élèves. Il peut avoir les mêmes effets qu'un masque de beauté. Simplement moins coûteux, et, à la longue, plus durable. Il se fait à l'aide d'une balle de la taille d'une orange. Pas trop légère. Une orange, d'ailleurs, fait très bien l'affaire.

Étendez-vous à plat dos, jambes fléchies. Les pieds sont placés ni trop près ni trop loin des fesses afin que la taille repose commodément sur le sol. L'intérieur des cuisses n'est pas crispé. Les bras sont le long du corps, les paumes vers le sol. La balle se trouve près de la main droite. Sans soulever l'épaule, ni le coude, ni l'avant-bras, et du bout des doigts, faites rouler doucement la balle parallèlement au corps, en direction des pieds. Imaginez que votre bras est élastique. Il est bien posé sur le sol. Lentement du bout des doigts, vous jouez à éloigner la balle, sans la perdre. Puis prenez-la maintenant dans la paume et, appuyé sur le coude, soulevez la main, paume toujours vers le bas, et l'avant-bras. Portez lentement la balle vers le plafond toujours sans décoller épaule et coude. Vous sentirez le moment où l'avant-bras est vertical. La balle repose au creux de la paume renversée, pouce du côté du visage. Les doigts s'écartent. La paume se creuse ; elle devient un nid pour la balle. Essayez de sentir ce contact de la balle dans *le creux* de la main, son poids. Les doigts ne touchent plus la balle. Faites attention à ne pas bloquer la respiration. L'air continue de circuler tranquillement dans les narines.

Doucement reposez la balle près du corps. Étendez les deux paumes contre le sol. Les deux bras. Et prenez le temps de comparer leur contact sur le sol. Vous pouvez aussi vous asseoir et essayer de sentir ce qui s'est passé au niveau du visage. Œil, coin de la bouche, pommette. Vous pouvez contrôler vos sensations devant un miroir. Mais il vaut mieux vous habituer à être attentif à vos seules sensations. Par la suite, vous pouvez faire le côté gauche. Ou alors ne le faites pas pour mieux sentir la différence.

9. Ce Préalable vous aidera à retrouver votre rythme respiratoire naturel : couchez-vous à plat dos, jambes fléchies. Les pieds sont bien appuyés sur le sol, placés à la largeur des hanches. Les genoux sont un peu écartés. Pas de tension à l'intérieur des cuisses. Placez les deux mains sur les côtes en avant, un peu au-dessus de la taille. Essayez de sentir le mouvement des côtes quand vous respirez, la direction dans laquelle elles s'écartent. Il se peut que vous trouviez très peu de mouvement... au début.

Maintenant, prenez à pleine main la peau sous le rebord costal de chaque côte et tirez ces deux plis de peau tout droit vers le plafond. Au moment où vous inspirez (par le nez), imaginez que vous pouvez respirer directement à l'intérieur de ce pli de peau. Au moment où vous soufflez (par le nez), maintenez la peau soulevée. Ne forcez jamais l'inspiration. Il faudrait avoir l'impression que vous sortez davantage d'air qu'il en est entré. Faites tranquillement plusieurs respirations ainsi. Puis lâchez.

Maintenant, prenez à pleine main la peau qui se trouve au-dessus des dernières côtes, en arrière et un peu *au-dessous* de la taille. Décollez deux plis de peau en respirant tranquillement de la même manière que précédemment. Puis lâchez.

Observez maintenant le mouvement des côtes. Le rythme de la respiration. Il y a bien des chances pour que le mouvement soit plus ample et la respiration moins rapide.

Mme Ehrenfried préconise ce mouvement aux insomniaques, en particulier, et à ceux qui souffrent du foie. Il est également très bénéfique pour la colonne vertébrale.

Le diaphragme, ce large muscle qui « ferme » la cage thoracique, où s'attache-t-il ? Tout le monde le sait vaguement. Sur les côtés et devant il s'attache sur le pourtour de la face interne des côtes, c'est sûr. Mais derrière il s'attache aussi à la colonne : sur les 2ᵉ, 3ᵉ et souvent 4ᵉ vertèbres lombaires. Or, à chaque respiration, tandis que l'air entre et sort des poumons, le diaphragme monte et descend à l'intérieur du corps. Et son mouvement modifie tout l'environnement. Il laisse leur liberté aux muscles spinaux en ne leur donnant pas de point fixe pour se contracturer. D'autre part, le diaphragme se trouve placé juste au-dessus du foie à droite, de la rate à gauche, des viscères... Son mouvement régulier constitue un véritable massage indispensable à ces organes.

10. Voilà un travail qu'il est difficile de faire seul. Essayez de vous faire lire ce texte par quelqu'un. Il doit être lu très lentement, avec des pauses entre chaque phrase pour vous laisser le temps de vous adapter à la demande.

Vous êtes allongé sur le sol, jambes étendues de préférence, sinon genoux fléchis, si vous êtes mieux. Posez les mains en coquille (les doigts joints) sur les yeux. Fermez les yeux. Que voyez-vous sous les paupières ? Des points mobiles ? Lumineux ? Des couleurs ? Observez, puis posez les mains. Laissez les yeux fermés. Vous imaginez qu'ils descendent se reposer plus au fond des orbites. Comme des cailloux qu'on laisserait tomber dans une mare. Vous attendez la fin des remous. Puis vous vous intéressez à la paupière droite. Que vous faites très haute et très large. Comme un grand rideau posé sur l'œil. Vous vous intéressez à la fente de l'œil. A la façon dont les deux paupières sont posées l'une sur l'autre. Posées ? Serrées ? Vous contournez le bord des deux paupières et vous essayez d'allonger cette fente de l'œil, vers le nez, vers la tempe.

Vous vous intéressez au sourcil droit. Vous le suivez en pensée de la racine du nez jusqu'à la tempe. Vous imaginez que vous le tirez vers la tempe. Vous vous intéressez à la langue que vous laissez s'élargir dans la bouche. Les mâchoires ne sont pas serrées. La langue peut même passer entre les dents. Elle occupe toute la cavité buccale. Vous vous intéressez aux contours du maxillaire à droite. Que vous suivez depuis la pointe du menton jusqu'à l'oreille droite. Vous vous intéressez à l'intérieur de la joue. Vous pouvez essayer de faire lâcher les muscles de l'intérieur de la joue droite. Vous vous intéressez à la lèvre supérieure à droite. Du milieu de la lèvre jusqu'au coin de la bouche. A la lèvre inférieure à droite. Que vous laissez monter à la rencontre de la lèvre supérieure. Essayez de sentir l'air circulant dans la narine droite. De la base du nez jusqu'au sourcil droit. Imaginez que vous pouvez respirer entre les deux yeux. Vous faites beaucoup de place entre les deux sourcils et vous respirez à cet endroit. Remettez les mains en coquille. Observez couleurs ou mouvements sous les paupières fermées. Comparez avec vos impressions du début. Vous pouvez vous asseoir et essayer de voir la différence. Faites l'autre côté. Puis remerciez celui qui vous a lu ces descriptions. Observez le ton de votre voix. Se place-t-elle différemment maintenant ?

11. Pour ce Préalable, il faut une balle mousse de la taille d'une orange. Vous êtes couché à plat dos, les jambes fléchies, attentif à la façon dont se pose le bas du dos, la taille, les omoplates. Essayez de sentir où se trouvent les articulations de part et d'autre du sacrum, et les deux os (iliaques) du bassin. Vous pouvez tâter, explorer avec la main le pourtour de cet emplacement. Puis reposez le bassin et placez la balle à droite, sous l'articulation de droite. Si vous n'êtes pas certain d'avoir trouvé, placez-la dans le haut de la fesse. Laissez la fesse s'appuyer sur la balle, de tout son poids. Laissez aussi la fesse gauche s'appuyer au sol. Veillez tout de suite à ce que la taille soit le plus proche possible du sol. Il se peut que le contact sur la balle soit douloureux. Essayez de relâcher, de ne pas vous défendre. Puis, avec précaution, élevez le genou droit sur la poitrine. Rajustez la balle si nécessaire. Puis posez une main sur ce genou et tirez-le un peu vers vous, par petits coups, sans crisper les épaules.

Avec précaution, allongez maintenant la jambe gauche, et continuez à tirer le genou droit vers vous, en vous intéressant à l'intérieur des cuisses. Essayez de sentir de quelle manière elles sont solidaires l'une de l'autre dans ce tout petit mouvement. Avec la main droite, faites exécuter au genou droit de tout petits cercles bien ronds. Intéressez-vous aux cercles que vous sentez se faire en même temps avec la région du bassin qui repose sur la balle. Changez de sens. Continuez encore quelques cercles. Puis fléchissez la jambe gauche et, doucement, posez le pied droit à plat. Enlevez la balle et immédiatement vous sentez la différence dans le bassin. Maintenant tournez-vous sur le côté pour vous asseoir. Puis levez-vous lentement et promenez-vous un peu dans la pièce. Soyez attentif à la façon (différente ?) dont vous sentez les pieds se poser, à la façon dont la jambe droite sort de la hanche, à l'ouverture du pli de l'aine, à l'épaule droite, à la moitié droite du visage.

12. Peut-être avez-vous vu dans votre enfance ces petites poupées plates en carton. Un côté face, un côté dos. La jonction se faisait par la pliure au sommet du crâne. Imaginez sur vous-même cette ligne passant par le sommet du crâne, se prolongeant jusqu'aux oreilles. Suivez cette ligne avec les doigts. Puis essayez de soulever la peau du crâne en suivant cette frontière. Pincez la peau entre les doigts. Elle doit se décoller du crâne. Tirez un peu sur les cheveux si la peau vous paraît vraiment collée. Essayez de tirer en avant vers le visage. Sur tout le pourtour. Comme si vous vouliez attirer cette peau en avant, vers les pommettes, vers les tempes, vers le front. Essayez de bomber la nuque, en ramenant le menton près du cou.

Un mouvement comme celui d'un cheval qui bombe la nuque en baissant le nez. Imaginez que c'est toute la peau du crâne, de la nuque, que vous voulez ainsi entraîner vers l'avant.

13. Saisissez doucement entre pouce et index la peau qui se trouve entre la base du nez et la lèvre supérieure. Tirez doucement vers le bas. Mâchoire non serrée. Langue large dans la bouche.

14. Vous pouvez, entre pouce et index, suivre le contour de vos oreilles, selon une très ancienne gymnastique chinoise. Explorez le pavillon de l'oreille entre vos doigts. Envers et endroit. Depuis son attache au crâne jusqu'aux lobes. Le lobe lui-même. Envers et endroit. Suivez l'anthélix, qui partage le pavillon et la conque (sur lequel se projette la colonne vertébrale). Depuis l'antitragus au-dessus du lobe (là où sont représentés les vertèbres cervicales), jusqu'au sommet, sous le pli du rebord du pavillon (là où se projettent sacrum et coccyx). Puis explorez avec douceur la conque de l'oreille. Envers et endroit. Terminez en massant lentement toute la surface de l'oreille.

Bibliographie

Barthes R., *Roland Barthes par lui-même*, Paris, Éditions du Seuil, 1975, collection « Microcosme ».

Belotti E.G., *Du côté des petites filles*, Paris, Éditions des Femmes, 1974.

Borsarello J., *Le Massage dans la médecine chinoise*, Paris, Maisonneuve, 1971.

Colette, *Les Vrilles de la vigne*, Ferenczi, 1930, et Hachette, Paris, collection « Le Livre de poche ».

Davis F., *Inside Intuition*, New York, McGraw Hill, 1971.

Ehrenfried L., *De l'éducation du corps à l'équilibre de l'esprit*, Paris, Aubier Montaigne, 1967.

Feldenkrais M., *La Conscience du corps*, Paris, Robert Laffont, 1971.

Freud S., *Cinq Psychanalyses*, Paris, PUF, 1954.

Greer G., *La Femme eunuque*, Paris, Robert Laffont, 1971.

Groddeck G., *Le Livre du* Ça, Paris, Gallimard, 1973.

Illich I., *Libérer l'avenir*, Paris, Éditions du Seuil, 1971.

Ingham E., *Stories the feet can tell*, New York, 1938.

Janov A., *Le Cri primal*, Paris, Flammarion, 1975.

Kafka F., *La Colonie pénitentiaire*, Paris, Gallimard, 1945.

Laing R.D., *Self and Others*, Middlesex, Penguin, 1969.

Lavier J., *Histoire, Doctrine et Pratique de l'acupuncture chinoise*; Paris, Tchou, 1966.

Lowen A., *The Betrayal of the body*, New York, Macmillan, 1967.

–, *The Language of the body*, New York, Collier, 1974.

Mézières F., « Importance de la statique cervicale », *Cahiers de la Méthode naturelle*, n°51, 1972.

–, « Méthodes orthopédiques » et « La fonction du sympathique », *Cahiers de la Méthode naturelle*, n°52-53, 1973.

–, « Les pieds plats », *Cahiers de la Méthode naturelle*, n°49, 1972.
–, « Le réflexe antalgique *a priori* », *Cahiers de la Méthode naturelle*, n°44, 1970.
Michel-Wolfromm H., *Cette chose*-là, Paris, Grasset, 1970.
Reich W., *L'Analyse caractérielle*, Paris, Payot, 1971.
–, *La Fonction de l'orgasme*, Paris, L'Arche, 1973.
–, *La Révolution sexuelle*, Paris, Plon, 1968.
Sapir M., *La Relaxation : son approche psychanalytique*, Paris, Dunod, 1975.
Schilder P., *L'Image du corps*, Paris, Gallimard, 1968.
Schultz J.H., *Le Training autogène*, Paris, PUF, 1974.

Table

RÉALISATION PAO/ÉDITIONS DU SEUIL
IMPRESSION : HÉRISSEY À ÉVREUX
DÉPÔT LÉGAL : JUIN 1993 - N° 19960 (61615)